Inhaltsverzeichnis

Vorwort zur Neuauflage

Es ist nun über 20 Jahre her, seit die „Qualitative Inhaltsanalyse" erstmals erschien. Dass das Buch die zehnte Auflage erreicht, zeigt, dass sich die hier beschriebenen Auswertungstechniken im sozialwissenschaftlichen Methodeninventar etablieren konnten. Ein parallel in dieser Reihe erschienener Band (Mayring & Gläser-Zikuda) gibt einen Überblick über vielfältige Studien im Bereich Psychologie und Pädagogik, die die Qualitative Inhaltsanalyse einsetzten. Aber auch beispielsweise in der Soziologie werden die Verfahrensweisen aufgegriffen (vgl. das Stichwort Inhaltsanalyse in Trommsdorff & Endruweit, 2002).

Seit der Erstauflage ist das Buch überarbeitet und erweitert worden. Dazugekommen ist in der 4. Auflage ein Kapitel zu den Computereinsatzmöglichkeiten und in der 6. Auflage ein Abschnitt zur induktiven Kategorienbildung. Die Neuausgabe gibt Anlass, über die Einordnung der Qualitativen Inhaltsanalyse in das Methodenspektrum nachzudenken und Methodentrends der letzten Jahre aufzuzeigen.

Zunächst muss festgehalten werden, dass sich die Sozialwissenschaften in den letzten beiden Jahrzehnten zunehmend qualitativ orientierten Ansätzen geöffnet haben. Es liegen mittlerweile umfangreiche Handbücher (z.B. Friebertshäuser & Prengel 1997; Denzin & Lincoln 1998; Flick, Kardorff & Steinke 2000) sowie übersichtliche Einführungen (z.B. Flick 1999; Mayring 2002) zur qualitativen Forschung vor. Das gilt vor allem für Soziologie und Erziehungswissenschaften, in abgeschwächter Form für Psychologie. Immerhin besitzt eines der angesehensten psychologischen Methodenlehrbücher, das bisher rein quantitativ-experimentell ausgerichtet war, in der neuesten Ausgabe ein Kapitel über qualitative Ansätze, auch über Qualitative Inhaltsanalyse (Bortz & Döring 1995). Ein breites Spektrum an qualitativ orientierten Forschungsmethoden, von der Feldforschung bis zur Fallanalyse, qualitativen Interviewformen, qualitativer Evaluation und Interpretationsmethoden, ist in Einführungswerken beschrieben worden. Auch Computerprogramme zur Unterstützung qualitativer Analyse haben einen Boom erlebt (vgl. Weitzman & Miles 1995; Kelle 1998).

Auf der anderen Seite herrschen immer noch vielerorts große Vorbehalte gegen qualitative Forschung. Mangelnde intersubjektive Nachvollziehbarkeit, Verletzung klassischer Gütekriterien wie Objektivität und Reliabilität und unzureichende Verallgemeinerbarkeit der Ergebnisse sind oft gebrauchte Einwände. Die Qualitative Inhaltsanalyse nimmt hier eine Zwischenposition ein. Die Ergebnisse der Analysen werden meist quantitativ weiterverarbeitet (z.B. Kategorienhäufigkeiten), die Inter-Koder-Reliabilität spielt eine wichtige Rolle (wenn auch nicht ganz so streng wie in quantitativer Inhaltsanalyse angewandt). Die eigentliche Zuordnung von Textmaterial zu inhaltsanalytischen Kategorien bleibt aber ein (wenn auch durch inhaltsanalytische Regeln kontrollierter) Interpretationsvorgang.

Damit steht die Qualitative Inhaltsanalyse mitten in der aktuellen sozialwissenschaftlichen Methodendiskussion, in der eine strikte Gegenüberstellung qualitativer versus quantitativer Analyse als unsinnig angesehen wird und nach Verbindungen, Integrationsmöglichkeiten gesucht wird (vgl. Mayring 2001). Unter dem Stichwort „Mixed Methodologies" werden hier heute pragmatische Methodenkombinationen erprobt (vgl. Erzberger 1998; Tashakkori & Teddli 1998), um so möglichst gegenstandsadäquate, relevante und reichhaltige Forschungsergebnisse zu erzielen.

Verzeichnis der Abbildungen

1. Einleitung

Die letzten Jahrzehnte methodologischer Entwicklung der Sozial- und Humanwissenschaften haben einschneidende Veränderungen mit sich gebracht.

Einerseits werden immer komplexere quantitative Auswertungsmodelle vorgeschlagen (z. B. LISREL), die ganz rigide Anforderungen an das Datenmaterial stellen (z. B. große Stichproben, standardisierte Instrumente). Andererseits forderte gerade dies zur Kritik heraus, zu Forderungen nach offenen Erhebungsmethoden, bei denen die Befragten wirklich zur Sprache kommen, zu Forderungen nach interpretativen Methoden, die auch latente Sinnstrukturen erkennen können. Ich möchte einige Beispiele anführen:

- Polkinghorne (1983) fordert eine neue Methodologie für die Humanwissenschaften, anknüpfend an Ansätze philosophischer Hermeneutik (Dilthey, Heidegger, Gadamer, Ricoeur; vgl. auch Rabinow & Sullivan, 1979). Weniger harte Daten als vielmehr sprachliches Material als Ausgangspunkt, das Vorwissen des Interpreten als Kriterium, synkretische Kombination von Forschungsansätzen und argumentative Absicherung der einzelnen Schritte sind seine Forderungen. Immer wieder gab es internationale Kongresse (Human Science Research Council), die sich einem solchen Wissenschaftsverständnis verschrieben. Auch kritische (Sullivan, 1984) und dialektische (Rychlak, 1976) Ansätze sind hier zu nennen.
- Feministische Ansätze in den Sozialwissenschaften haben sich ebenso für ihr Selbstverständnis einer alternativen Methodologie verschrieben (Harding, 1987; Becker-Schmidt & Bilden, 1991). Sie fordern ein Ansetzen an konkreten Praxisproblemen aus der eigenen Betroffenheit heraus und die Einbeziehung der eigenen Erfahrungen in den Auswertungsprozeß und knüpfen damit an qualitative Ansätze an.
- Die Analyse individueller Biographien (vgl. Bertaux & Kohli, 1984; Plummer, 1983; Fuchs, 1984) gewinnt in verschiedenen Disziplinen immer stärkere Bedeutung. Die Soziologie hat schon lange (z. B. Chicago school) an einzelnen Biographien soziale Strukturen herausarbeiten können (z. B. soziale Determination von deviantem Verhalten). Aber auch die Entwicklungspsychologie (z. B. Erikson, 1959) und die Geschichtswissenschaften (,Oral history', vgl. Niethammer, 1976) verwenden biographisches Material an zentraler Stelle. Hier steht die qualitativ orientierte Analyse des Einzelfalls über der großen repräsentativen Stichprobe.

– Die Ethnologie zu Beginn dieses Jahrhunderts (z. B. Malinowski) hat mit ihren Methoden der teilnehmenden Feldforschung und des vorsichtigen Verstehens und Interpretierens des Fremden (Ethnomethodolgy, vgl. Weingarten, Sack & Schenkein, 1976) andere Sozialwissenschaften angesteckt, wie vor allem die Soziologie (Cicourel, 1964) und die Erziehungswissenschaften (Erickson, 1987; König & Zedler 1995), erst sehr vorsichtig die Psychologie (Rizzo, Corsaro & Bates, 1992; Banister, Burman, Parker, Taylor & Tindall, 1994).

Innerhalb dieser Forschungseinrichtungen sind zum Teil hochinteressante Erhebungstechniken (weiter) entwickelt worden, die wichtige neue Einsichten gebracht haben (verschiedene Interviewformen, Gruppendiskussionsmethode).

All diese neuen methodischen Ansätze haben das Problem der Auswertung des erhobenen Materials. In einigen Forschungsprojekten der letzten Jahre wurden Aktenordner voll hochinteressanter Protokolle und Materialien gesammelt, die dann nur „frei" interpretiert werden konnten oder höchstens mit Auswertungsheuristiken bearbeitet wurden.

Dies ist vor allem darauf zurückzuführen, daß es bisher in der sozialwissenschaftlichen Methodenliteratur keine systematische, umfassende Anleitung zur Auswertung komplexeren sprachlichen Materials gibt, aus der man klare Interpretationsregeln ableiten könnte. Auch die im Umfeld der Sozialwissenschaften mit sprachlichem Material befaßten Disziplinen können dies nicht erfüllen: die philosophische Hermeneutik bleibt zu vage, zu unsystematisch; die sprachwissenschaftliche Textanalyse beschränkt sich meist auf die Textstruktur; die kommunikationswissenschaftliche Inhaltsanalyse (content analysis) hat nur sehr spezielle quantitative Techniken entwickelt.

Gerade hier soll angesetzt werden, mit dem Ziel, konkrete Techniken qualitativer Inhaltsanalyse auszuarbeiten und an Beispielen zu demonstrieren, Techniken, die systematisch, intersubjektiv überprüfbar sind, gleichzeitig aber der Komplexität, der Bedeutungsfülle, der „Interpretationsbedürftigkeit" sprachlichen Materials angemessen sind.

2. Was ist Inhaltsanalyse?

2.1 Versuch einer Definition

Ziel der Inhaltsanalyse ist, darin besteht Übereinstimmung, die Analyse von Material, das aus irgendeiner Art von *Kommunikation* stammt. Eine Definition des Begriffs hat jedoch mit einer großen Schwierigkeit zu kämpfen: Inhaltsanalyse beschäftigt sich längst *nicht nur* mit der Analyse des *Inhalts* von Kommunikation.

Hier sind Mollenhauer/Rittelmeyer (1977) sehr unpräzise, wenn sie Inhaltsanalyse definieren als „Analyse von Kommunikations-Inhalten" (S. 185). Denn auch formale Aspekte der Kommunikation wurden zu ihrem Gegenstand gemacht. So werden Gesprächsprotokolle mit psychotherapeutischen Patienten nach formalen Charakteristika wie Satzkorrekturen, unvollständigen Sätzen, Wortwiederholungen, Äh's, usw. durchforstet, um dadurch einen Index für Angst beim Patienten zu erhalten (Mahl 1959). Auch die maßgeblich an der Entwicklung der Inhaltsanalyse beteiligte amerikanische Propagandaforschung im 2. Weltkrieg unter Harold D. Lasswell beschränkt sich keineswegs nur auf Kommunikationsinhalte. Manchen Inhaltsanalytikern erscheint der Begriff „Inhalt" überhaupt suspekt, da sie mehr an latenten *Gehalten* denn am manifesten Inhalt der Kommunikation interessiert sind. J. Ritsert definiert Inhaltsanalyse als

„ein Untersuchungsinstrument zur Analyse des „gesellschaftlichen", letztlich des „ideologischen Gehalts" von Texten" (Ritsert 1972, S. 9).

So gehört heute die Definition des Inhaltsanalyseklassikers Bernhard Berelson bereits zur Geschichte, da sie in allen Teilen grundlegend kritisiert wurde:

„Inhaltsanalyse ist eine Forschungstechnik für die objektive, systematische und quantitative Beschreibung des *manifesten Inhalts* von Kommunikation" (Berelson 1952, S. 18; Übersetzung und Hervorhebung P.M.).

Eine zweite Schwierigkeit der Definition von Inhaltsanalyse besteht darin, daß sehr viele der vorliegenden Definitionen die Interessen oder das jeweilige Arbeitsgebiet des Autors widerspiegeln und dadurch zu speziell sind.

So interessiert sich A.L. George nur für die Absichten und Ziele, die der Kommunikator durch das zu analysierende Material ausdrücken wollte:

„Kurz, Inhaltsanalyse wird verwendet als ein diagnostisches Instrument, um spezifische Schlußfolgerungen über bestimmte Aspekte des zielgerichteten Verhaltens (purposive behavior) des Sprechers zu ziehen" (George 1959, S. 7; Übersetzung P.M.).

Auch A. Kaplan hat ein sehr eingeschränktes Verständnis von Inhaltsanalyse:

„Inhaltsanalyse ist die statistische Semantik politischer Diskurse (political discourse)" (Kaplan nach Holsti 1969a, S. 2).

Während die Projektgruppe „Textinterpretation und Unterrichtspraxis" Inhaltsanalyse begreift als

„systematische Auslegung von Texten" (Projektgruppe „Textinterpretation und Unterrichtspraxis" 1974, S. 139),

sehen R. Lisch und J. Kriz

„Inhaltsanalyse als versuchte Rekonstruktion eines (umfassenden) sozialen Prozesses", als *„das zentrale Modell zur Erfassung (bzw. Konstituierung) sozialwissenschaftlicher Realität"* (Lisch/Kriz 1978, S. 44 und S. 11).

Die Liste von im Ansatz völlig unterschiedlichen Definitionen der Inhaltsanalyse ließe sich noch sehr lange fortsetzen.

Da dieser Liste nun nicht einfach eine weitere eigene Definition angefügt werden soll, möchte ich vorher die *Spezifika* der Inhaltsanalyse als sozialwissenschaftliche Methode aufweisen. Was ist das besondere der sozialwissenschaftlichen Inhaltsanalyse? Was unterscheidet sie von anderen Methoden, die auch mit der Analyse von Kommunikation, von Sprache, von Texten zu tun haben? Ich möchte dies in sechs Punkten beantworten:

1. Inhaltsanalyse hat Kommunikation zum Gegenstand, also die Übertragung von Symbolen (vgl. Watzlawick u.a. 1969). In aller Regel handelt es sich zwar um Sprache, aber auch Musik, Bilder u.ä. können zum Gegenstand gemacht werden. So definiert Berelson als Gegenstand der Inhaltsanalyse „symbols (verbal, musical, pictoral, plastic, gestural) which make up the communication itself" (Berelson 1952, S. 13).
2. Die Inhaltsanalyse arbeitet mit Texten, Bildern, Noten, mit symbolischem *Material* also. Das heißt, die Kommunikation liegt in irgendeiner Art protokolliert, festgehalten vor. Gegenstand der Analyse ist somit *fixierte* Kommunikation.
3. Besonders heftig wehren sich Inhaltsanalytiker immer wieder gegen freie Interpretation, gegen impressionistische Ausdeutung des zu analysierenden Materials. Inhaltsanalyse will *systematisch* vorgehen. Damit grenzt sie sich gegen einen Großteil hermeneutischer Verfahren ab.
4. Das systematische Vorgehen zeigt sich vor allem darin, daß die Analyse nach expliziten Regeln abläuft (zumindest ablaufen soll). Diese *Regelgeleitetheit* ermöglicht es, daß auch andere die Analyse verstehen, Nachvollziehen und überprüfen können. Erst dadurch kann Inhaltsanalyse sozialwissenschaftlichen Methodenstandards (intersubjektive Nachprüfbarkeit) genügen.
5. Das systematische Vorgehen zeigt sich aber auch darin, daß eine gute Inhaltsanalyse *theoriegeleitet* vorgeht. Sie will nicht einfach einen Text referieren, sondern analysiert ihr Material unter einer theoretisch ausgewiesenen Fragestellung; die Ergebnisse werden vom jeweiligen Theoriehintergrund her interpretiert und auch die einzelnen Analyseschritte sind von theoretischen Überlegungen geleitet. Theoriegeleitetheit bedeutet dabei nicht Abheben von konkretem Material in Sphären der Unverständlichkeit, sondern heißt Anknüpfen an den Erfahrungen anderer mit dem zu untersuchenden Gegenstand.
6. Im letzten Punkt wurde bereits angedeutet, daß Inhaltsanalyse ihr Material nicht ausschließlich für sich analysieren will (wie z.B. die Textanalyse), sondern als Teil des Kommunikationsprozesses. Sie ist eine schlußfolgernde Methode, darauf haben vor allem amerikanische Kommunikationswissenschaftler hingewiesen (z.B. Carney 1972). Sie will durch Aussagen über das zu analysierende Material *Rückschlüsse auf bestimmte Aspekte der Kommunikation ziehen,* Aussagen über den „Sender" (z.B. dessen Absichten), über Wirkungen beim „Empfänger" o.ä. ableiten.

Zusammenfassend will also Inhaltsanalyse

– *Kommunikation* analysieren;
– *fixierte* Kommunikation analysieren;
– dabei *systematisch* vorgehen;
– das heißt *regelgeleitet* vorgehen;
– das heißt auch *theoriegeleitet* vorgehen;
– mit dem Ziel, *Rückschlüsse auf bestimmte Aspekte der Kommunikation* zu ziehen.

2.2 Grundtechniken bisheriger inhaltsanalytischer Verfahren

Hier müssen an erster Stelle *Häufigkeitsanalysen* (Frequenzanalysen) und daraus abgeleitete Techniken genannt werden. Die einfachste Art inhaltsanalystischen Arbeitens besteht darin, bestimmte Elemente des Materials auszuzählen und in ihrer Häufigkeit mit dem Auftreten anderer Elemente zu vergleichen. Hier ein einfaches Beispiel: B. Berelson und P. Salter untersuchten 1946, welcher Abstammung die Hauptfiguren amerikanischer Zeitschriftengeschichten sind und verglichen deren prozentuale Verteilung mit der tatsächlichen Verteilung innerhalb der amerikanischen Gesellschaft:

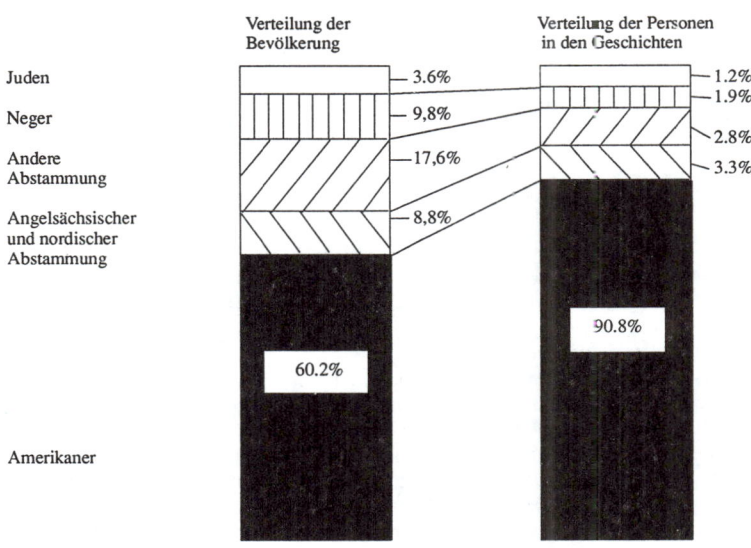

Abbildung 1: Inhaltsanalyse „Amerikanische Majoritäten und Minoritäten" nach Berelson 1952, S. 51

Besondere Bedeutung genießt hier das Arbeiten mit umfassenden Kategoriensystemen (sog. Wörterbüchern), die alle Aspekte eines Textes erfassen sollen, mit denen dann computergestützt sprachliches Material ausgezählt wird. Der General Inquirer (Stone, Dunphy, Smith & Ogilvie, 1966) war wohl der erste Versuch in dieser Richtung. Hier existieren Wörterbücher z. B. für psychologisch relevante Fragestellungen (z. B. Harvard Psychological Dictionary), die in ihrer neuesten Version ohne großen Aufwand am PC eingesetzt werden können (vgl. Weber, 1990; Bos & Tarnai, 1996). Darauf aufbauend werden Häufigkeiten errechnet und statistisch analysiert. Das Wörterbuch muß natürlich auch die verschiedenen grammatikalischen Abwandlungen im Satzkontext erkennen können. Dabei kann es zu Problemen kommen:

- die Mehrdeutigkeit von Begriffen (z. B „wahnsinnig" als umgangssprachlicher Superlativ oder psychische Störung betreffend);
- die inhaltliche Färbung von Begriffen durch den Kontext;
- die Extensionsbestimmung durch den Kontext (bei „keine Angst", „wenig Angst" und „viel Angst" wird jeweils einmal ‚Angst' gezählt);
- der inhaltliche Bezug des gezählten Begriffes (z. B. bei „Ich habe Angst vor X", der „X hat Angst vor mir" wird jeweils einmal ‚Angst' gezählt);
- das Problem substitutiver Wörter (z. B. bei „Ich habe davon nichts gemerkt" weiß der Computer nicht, worauf sich ‚davon' bezieht);
- Dialektfärbungen (bei Interviewprotokollen regelmäßig anfallend) müssen sehr aufwendig umgearbeitet werden.

Diese Liste ließe sich noch weiter fortsetzen. Es gibt zwar Versuche, solche Kontexteinflüsse zu kontrollieren (KWIC Keyword-in-Context-Programm, vgl. Weber, 1990). Dabei wird eine Liste der „Fundstellen", also der Kategorien in ihrem Kontext, pro ausgezähltem Begriff erstellt. Damit läßt sich das Problem aber nur erkennen, nicht beseitigen. Auch sind solche Listen bei großen Textmengen schwer zu verarbeiten.

Das grundsätzliche Vorgehen, solcher Häufigkeitsanalysen, das auch als Modell für komplexere Analysen gilt, besteht dabei darin:

- Formulierung der *Fragestellung*;
- Bestimmung der Material*stichprobe*;
- Aufstellen des *Kategoriensystems* (in Abhängigkeit von der Fragestellung), d.h. Bestimmung der Textelemente, deren Häufigkeit untersucht werden soll;
- *Definition* der Kategorien, evtl. Anführen von Beispielen.
- Bestimmung der *Analyseeinheiten*, d.h. Festlegung, was als minimaler Textbestandteil unter eine Kategorie fallen kann (Kodiereinheit), was als maximaler Textbestandteil unter eine Kategorie fallen kann (Kontexteinheit) und welche Textbestandteile jeweils nacheinander kodiert werden (Auswertungseinheit); solche Textbestandteile können Silben, Wörter, Sätze, Abschnitte usw. sein;
- *Kodierung*, d.h. Durcharbeiten des Materials mit Hilfe des Kategoriensystems, um das Auftreten der Kategorien aufzuzeichnen;
- *Verrechnung*, d.h. Feststellen und Vergleichen der Häufigkeiten;
- *Darstellung und Interpretation* der Ergebnisse.

Ein Beispiel einer komplexeren Häufigkeitsanalyse wäre die Gottschalk-Gleser-Sprachinhaltsanalyse zur Messung affektiver Zustände (Angst, Aggressivität) (Gottschalk/Gleser 1969), die auch für die deutsche Sprache adaptiert wurde (Schöfer 1980).

Als nächste Gruppe erprobter Techniken seien *Valenz- und Intensitätsanalysen* genannt. Ganz allgemein handelt es sich dabei um inhaltsanalytische Verfahren, bei denen bestimmte Textbestandteile nach einer zwei- oder mehrstufigen Einschätzskala *skaliert* werden. Das generelle Vorgehen kann folgendermaßen beschrieben werden:

- Formulierung der *Fragestellung*;
- Bestimmung der *Materialstichprobe*;
- Aufstellen und Definition der *Variablen*, die untersucht werden sollen;
- Bestimmung der *Skalenpunkte* (Ausprägungen pro Variable); bei Valenzanalysen bipolar (z.B. plus – minus), bei Intensitätsanalysen mehrstufig (z.B. sehr stark – stark – mittel – weniger stark – gar nicht);
- *Definition* und evtl. Anführen von Beispielen für die Skalenpunkte der Variablen (Variablen und Skalenpunkte stellen zusammen das Kategoriensystem dieser Analysearten dar);
- Bestimmung der *Analyseeinheiten* (Kodiereinheit, Kontexteinheit, Auswertungseinheit);
- *Kodierung, d.h. Skalierung der Auswertungseinheiten nach dem Kategoriensystem;*
- *Verrechnung,* d.h. Feststellen und Vergleichen der Häufigkeiten der Skalierungen, evtl. weitere statistische Verarbeitung;
- *Darstellung und Interpretation* der Ergebnisse.

Valenz- und Intensitätsanalysen können ganz einfach konstruiert sein, wenn z.B. die Leitartikel von mehreren Tageszeitungen verglichen weden, inwieweit sie eher die Politik der Regierungsparteien oder die der Opposition vertreten. Für komplexere Formen sollen hier drei Beispiele genannt werden, die Wertanalyse, die Symbolanalyse und die Bewertungsanalyse (vgl. dazu vor allem Bessler 1970; Lisch/Kriz 1978).

Damit kommen wir zu der dritten Gruppe erprobter Techniken der Inhaltsanalyse: *Kontingenzanalysen.* Die Entwicklung solcher Techniken geht vor allem auf Charles Osgood zurück (Osgood 1959). Ziel ist es dabei, festzustellen, ob bestimmte Textelemente (z.B. zentrale Begriffe) besonders häufig im gleichen Zusammenhang auftauchen, im Text auf irgendeine Art miteinander verbunden sind, kontingent sind. Durch viele solcher Kontingenzen will man aus dem Material eine Struktur miteinander assoziierter Textelemente herausfiltern. Ganz allgemein läßt sich das Vorgehen folgendermaßen beschreiben:

- Formulierung der *Fragestellung*;
- Bestimmung der Material*stichprobe*;
- Festlegung und Definition der Textbestandteile, deren Kontingenz untersucht werden sollen (= Aufstellen des *Kategoriensystems*);
- Bestimmung der Analyseeinheiten (Kodiereinheit, Kontexteinheit, Auswertungseinheit);
- *Definition von Kontingenz,* d.h. Aufstellen von Regeln dafür, was als Kontingenz gilt;
- *Kodierung,* d.h. Durcharbeiten des Materials mit Hilfe des Kategoriensystems;
- Untersuchung des gemeinsamen Auftretens der Kategorien, *Bestimmung der Kontingenzen;*
- *Zusammenstellung und Interpretation* der Kontingenzen.

Beispiele hierfür sind die klassische Kontingenzanalyse Osgood's (1959), die Diskursanalyse (Harris 1952), die Bedeutungsfeldanalyse (Weymann 1973) und die Assoziationsstrukturenanalyse (Lisch 1979).

15

3. Was ist qualitative Analyse?

Wie bereits in der Einleitung beschrieben, läßt sich gegenwärtig ein starker Trend in Richtung eher qualitativer Methoden beobachten, der auf fast alle sozialwissenschaftlichen Bereiche übergegriffen hat. Dabei lassen sich als Gemeinsamkeiten feststellen,

- daß Engagement und Polemik der Kontroverse unverhältnismäßig hoch sind;
- daß die Kritik der „Qualitativen" an quantitativen Techniken zum Teil fundiert und überzeugend ist;
- daß jedoch die Alternativen an qualitativen Techniken entweder völlig fehlen oder von „Quantitativen" zu Recht als unzureichend zurückgewiesen werden.

3.1 Unterscheidungsmerkmale qualitativer und quantitativer Analyse

Bei einer Abgrenzung qualitativer versus quantitativer Analyse lassen sich ganz verschiedene Kriterien anwenden:

• Unterscheidung von der Begriffsform her

Dies ist wohl das formalste und gleichzeitig einleuchtendste Unterscheidungskriterium: Sobald Zahlbegriffe und deren In-Beziehung-Setzen durch mathematische Operationen bei der Erhebung oder Auswertung verwendet werden, sei von quantitativer Analyse zu sprechen, in allen anderen Fällen von qualitativer Analyse.

Auf diese Unterscheidung geht W. Stegmüller (1970) näher ein. Er stellt zunächst fest, daß „sich... in dem Paar „qualitativ – quantitativ" *kein* Unterschied in der Realität (ausdrückt), sondern einzig und allein *ein Unterschied in der Sprache*" (Stegmüller 1970, S. 16). In der Sprache lassen sich nun verschiedene Begriffsarten unterscheiden. Dabei stellen *qualitative* (oder auch *klassifikatorische*) Begriffe die einfachste Begriffsform dar. „Sie bilden den Inhalt von Klassennamen oder Klassenbezeichnungen („Mensch", „Haus", „rot", „kalt")." (Stegmüller 1970, S. 19). Mit ihrer Hilfe sollen die Gegenstände eines Bereiches in verschiedene Klassen zerlegt werden. Die meisten Alltagsbegriffe, so Stegmüller, seien qualitative Begriffe. Davon unterscheiden lassen sich *quantitative* Begriffe (oder auch *metrische* Begriffe oder *Größenbegriffe*), die in die Sprache als numerische Funktionen eingeführt werden, also als Funktionen, deren Wertbereich aus Zahlen besteht (Stegmüller 1970, S. 44 ff.). Durch das Verfahren der Metrisierung werden bestimmte Größen auf den Prozeß des Zählens zurückgeführt und dadurch zu quantitativen Begriffen. Die Verwendung solcher quantitativer Begriffe sei aufgrund von empirischen Befunden, hypothetisch angenommen Gesetzmäßigkeiten, Konventionen, Einfachheitsbetrachtungen, Fruchtbarkeitsbetrachtungen, praktischer Erwägungen und Wertgesichtspunkten für eine Wissenschaftssprache von entscheidender Bedeutung (Stegmüller 1970, S. 98 ff.).

16

• Unterscheidung vom Skalenniveau der zugrundeliegenden Messung her

Um bei wissenschaftlichen Analysen Aussagen über den jeweiligen Gegenstands-
bereich machen zu können, wird dieser gemeinhin strukturiert durch die Definition
einzelner Merkmale, deren Ausprägungen untersucht werden. Dieser Vorgang wird
in der empirischen Sozialforschung als *Messung* bezeichnet, als „die systematische
Zuordnung einer Menge von Zahlen oder Symbolen zu den Ausprägungen einer
Variable" (Friedrichs 1973, S. 97). Bei solchen Messungen unterscheidet man
zwischen verschiedenen Meßniveaus bzw. Skalenniveaus (vgl. ausführlich z.B. Sixtl
1967):

„Nominalskala
Die Ausprägungen schließen sich nur logisch aus. Das Kriterium ist Gleichheit – Verschiedenheit.
Beispiel: Ja – Nein, männlich – weiblich.

Ordinalskala
Das Vorhergehende und: Die Ausprägungen lassen sich in eine Rangordnung bringen. Das
Kritierium ist: größer – kleiner. Beispiel: häufig – selten – nie.

Intervallskala
Alles Vorhergehende und: Die Unterschiede zwischen den Ausprägungen sind gleich groß. Das
Kriterium ist die Gleichheit der Intervalle (Äquidistanz). Beispiel: Intelligenzquotient.

Ratio-Skalen
Alles Vorhergehende und: Die Verhältnisse der Werte sind gleich, zudem hat der Wert Null einen
empirischen Sinn. Beispiel: Alter, Gewicht, Zeit (Friedrichs 1973, S. 98).

Darauf aufbauend kann man nun unterscheiden, daß alle Analysen, die auf nominalskalierten Messungen basieren als *qualitative* Analysen gelten, und solche, die auf
ordinal-, Intervall- oder ratio-skalierten Messungen basieren als *quantitative* Analysen gelten. Damit ist nun nicht ausgeschlossen, daß in qualitativen Analysen auch
quantitative Begriffe auftauchen. So lassen sich Häufigkeiten der Ausprägungen,
typische Konfigurationen, Cluster bei nominalskalierten Variablen untersuchen.
Auch statistische Operationen wie Signifikanztests sind mit nominalskalierten Daten möglich (vgl. z.B. Petermann 1979). Ein solches Verständnis qualitativer Analyse zeigt sich zum Beispiel bei Smith (1976) oder bei Cartwright (1966), die unter
dem Stichwort „Analyse qualitativer Daten" verschiedene Verrechnungstechniken
nominalskalierten Materials diskutieren.

• Unterscheidung nach dem impliziten Wissenschaftsverständnis

Das Selbstverständnis als Wissenschaftler, die Ansprüche an Forschung, das Wissenschaftsverständnis von „eingeschworenen" Vertretern der qualitativen bzw. der
quantitativen Richtung sind in aller Regel völlig gegensätzlich. Ich möchte diesen
oft nur implizit aufscheinenden Gegensatz anhand dreier Gegensatzpaare aufzeigen:

Verstehen oder Erklären?

„‚Die Natur erklären wir, das Seelenleben verstehen wir.' Dieser im Jahre 1894
niedergeschriebene Satz Wilhelm Diltheys ist zum Programm einer Bewegung
geworden, welche der „erklärenden" naturwissenschaftlichen Psychologie eine
„verstehende" geisteswissenschaftliche gegenüberstellte" (Rohracher 1976, S. 97).
Der qualitativ-verstehende Ansatz „versteht" sich dabei immer dahingehend, Gegenstände, Zusammenhänge und Prozesse nicht nur analysieren zu können, sondern
sich in sie *hineinzuversetzen,* sie *nachzuerleben* oder sie zumindest nacherlebend
sich vorzustellen.

Ein solches Wissenschaftsverständnis wird auch *Introspektion* als Forschungsmethode zulassen, deren Tauglichkeit außerhalb dieser Richtung immer wieder bestritten wird (Hofstätter 1957, S. 69 ff.).

Sowohl Georg Henrik von Wright (1974) als auch Manfred Riedel (1978) führen in ihren Monographien über Verstehen und Erklären den Gegensatz zurück auf die Orientierung am *Besonderen* versus die Orientierung am *Allgemeinen.* Qualitative Wissenschaft als verstehende will also am Einmaligen, am Individuellen ansetzen, quantitative Wissenschaft als erklärende will an allgemeinen Prinzipien, an Gesetzen oder gesetzähnlichen Aussagen ansetzen. Erstere versteht sich eher als *induktiv,* zweitere eher als *deduktiv.*

Komplexität oder Variablenisolation?

Eines der Hauptschlagworte qualitativer Analyse ist, die volle Komplexität ihrer Gegenstände erfassen zu wollen, während quantitative Analyse ihren Gegenstand zerstückele, atomisiere, in einzelne Variablen zerteile und ihm auf diese Art seine eigentliche Bedeutung nehme. „Quantitative Verfahren... streben Erkenntnisse an, bei denen „isolierte" Daten und Fakten gefunden werden, die möglichst frei von allen störenden Nebeneffekten, wie sie in der Alltagsrealität vorhanden sind, bestimmte Zusammenhänge, kausale Verknüpfungen usw. nachweisen. Dagegen berufen sich qualitative Verfahren auf die Erkenntnis der Sozialwissenschaften, daß menschliche Wirklichkeit... vielfältig und komplex konstituiert wird" (Schön 1979, S. 20).

Die Zerlegung des Gegenstandes in einzelne, möglichst sauber voneinander getrennte Aspekte – Voraussetzung für Quantifizierungen – entferne vom eigentlichen Gegenstand. Dieses „Denken in Variablen" wird von Köckeis-Stangl besonders scharf angegriffen: „Die Variablen haben für den Analytiker nur mehr jene Bedeutung, welche durch die Bezeichnung, durch die Namen impliziert wird, die er ihnen selbst verliehen hat; sie verweisen bestenfalls auf eine Theorie, nicht aber auf das Alltagsleben der Untersuchten" (Köckeis-Stangl 1980, S. 346).

Entgegengehalten wird solchen Argumenten meist, daß das Reden über einen Gegenstand immer in Begriffen, in Aspekten, in Variablen stattfindet, anders gar nicht möglich sei und daß die analytische Sammlung von Einzelerkenntnissen die Voraussetzung für die Erfassung des Gesamtgegenstandes sei.

Einzelfall oder repräsentative Stichprobe?

Die Einzelfallorientierung qualitativer Forschung ist ein weiteres oft implizites Merkmal ihres Wissenschaftsverständnisses. Sucht man nach einer Beschreibung des Einzelnen (ideographische Wissenschaft nach Windelband 1950) oder sucht man nach einer Formulierung des Allgemeinen (nomothetische Wissenschaft nach Windelband 1950)?

Einzelfallanalysen werden aus dem Lager quantitativer Wissenschaft immer wieder mit dem Argument mangelnder Verallgemeinerbarkeit abgeblockt. Einzig das Modell einer kontrollierten Stichprobenziehung und die quantitative Analyse dieser repräsentativen Stichprobe ermöglichten fundierte Aussagen über die entsprechende Grundgesamtheit. Einzelfälle lieferten nur zufälliges Material. Daß es doch sehr gute Möglichkeiten der Verallgemeinerung von Material aus Einzelfällen gibt, zeigt hingegen Heinze u.a. (1975, Kap. Verallgemeinerbarkeit).

3.2 Überwindung des Gegensatzes qualitativ-quantitativ

„Zur Bestimmung der Quantität eines Objektes ist immer auch das *Quale* anzugeben, dessen Quantum bei diesem Objekt bestimmt werden soll. Denn die Quantität eines Objektes ist verschieden auch je nachdem, worauf sich bei ihm der quantitative Vergleich erstreckt" (Lewin 1981, S. 97). Das heißt, daß am Anfang wissenschaftlichen Vorgehens immer ein qualitativer Schritt steht. Ich muß erst wissen, *was* ich untersuchen will, ich muß es benennen (Nominalskalenniveau). Dies läßt sich sehr schön am inhaltsanalytischen Vorgehen zeigen. In ihrem Zentrum steht ja fast immer die Anwendung eines Kategoriensystems auf das zu untersuchende Material. Diese Kategorien müssen aber erst erarbeitet werden, müssen am Material ausprobiert werden. Das ist ein Hauptbestandteil inhaltsanalytischer Arbeit, ein Vorgehen, das eindeutig qualitativer Art ist. Von diesem quantitaiven Anfangsschritt hängen entscheidend die Ergebnisse der Inhaltsanalyse ab. Erst auf dieser Basis können quantitative Analyseschritte vorgenommen werden, sofern sie angestrebt werden (vgl. zum folgenden auch Mayring 1978).

Darin besteht oft die Krux quantitativer Analysen, daß Verfahren angewandt werden, übernommen werden, ohne deren qualitative Voraussetzungen zu überprüfen. Oft führt dies dann zu differenzierten, aber eben völlig verzerrenden, am Gegenstand vorbeilaufenden Ergebnissen. Denn durch die Übernahme eines quantitativen Instrumentes werden alle vorausgehenden qualitativen Analyseergebnisse implizit übernommen, sofern sie nicht eigens thematisiert werden.

Ist die Grundlage des Instrumentariums der Gegenstandserfassung geschaffen, *können* quantitative Analyseschritte folgen, sie *müssen* es aber *nicht*. Dies ist das offenkundigste Ergebnis der Kontroverse, daß beide Vorgehensweisen ihre Daseinsberechtigung haben, daß quantitative wie qualitative Analyse sinnvoll angewandt werden können.

Entscheidend für ein „sauberes" quantitatives Vorgehen ist, daß genau die Punkte im gesamten Analyseprozeß bezeichnet werden, an denen quantitative Operationen einsetzen. Denn diese können ja nicht für sich stehen, sondern sind Hilfsmittel, um zu Aussagen über den Gegenstand zu gelangen. Das heißt aber auch, daß die Ergebnisse quantitativer Analyseschritte wieder rückgeführt werden müssen an ihren Ausgangspunkt. Sie müssen interpretiert werden, auf die vorausgehende Fragestellung bezogen werden. „Zahlen sprechen niemals für sich selbst. Sie müssen immer interpretiert werden." (Andersson 1974, S. 29; Übersetzung P.M.) Dies sind wiederum qualitative Analyseschritte.

Zusammenfassend wird dadurch eine grundsätzliche Abfolge im Forschungsprozeß beschrieben: Von der Qualität zur Quantität und wieder zur Qualität. Diese drei Phasen im Forschungsprozeß lassen sich schematisch darstellen (vgl. Abb. 2).

In diesem Modell ist der qualitativen Analyse ein bedeutender Anteil am Forschungsprozeß zugesprochen. Daß dies gerechtfertigt ist, soll nun auch inhaltlich gezeigt werden, indem mögliche Leistungen und Aufgabenbereiche qualitativer Analyse beschrieben werden.

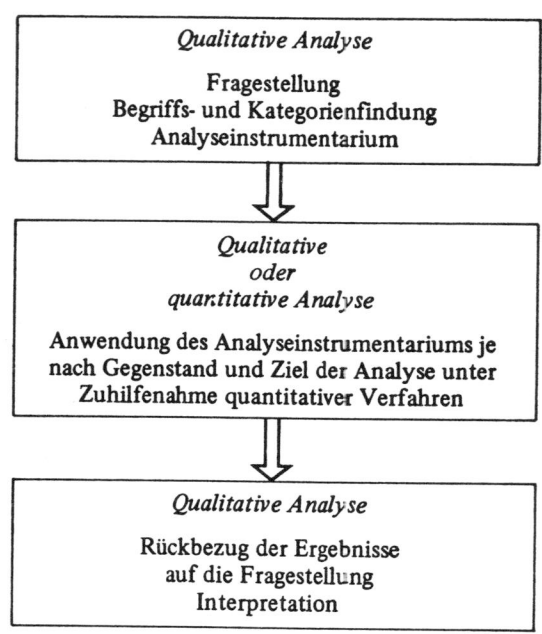

Abbildung 2: Phasenmodell zum Verhältnis qualitativer und quantitativer Analyse

3.3 Aufgaben qualitativer Analyse

Ausgehend vor allem von den bisherigen Anwendungsbereichen qualitativer Analysen lassen sich einige hauptsächliche Aufgabenfelder beschreiben:

- *Hypothesenfindung und Theoriebildung*

Dies ist ein klassischer Bereich qualitativer Forschung, der nur sehr selten in Frage gezogen wird. Zum einen beinhaltet er die Aufdeckung der für den jeweiligen Gegenstand relevanten Einzelfaktoren, zum anderen die Konstruktion von möglichen Zusammenhängen dieser Faktoren. Dies beschreiben A.H. Barton und P.F. Lazarsfeld sehr schön anhand einer klassischen soziologischen Untersuchung:

„Ein klassischer Fall für die Nützlichkeit qualitativer Beobachtungen bei der Suche nach möglichen handlungsrelevanten Einzelfaktoren ist die Western-Electric-Untersuchung (Roethlisberger und Dickson 1939). Als die Versuchsgruppe von Arbeitern ihr hohes Produktionsergebnis auch dann noch erreichte, als die körperlichen Belastungsbedingungen vor Beginn des Experiments verschärft worden waren, war klar, daß irgend etwas anderes einen Einfluß auf ihre Arbeitskraft hatte. Welches die wirklichen Faktoren waren, offenbarten schließlich informelle Beobachtungen und Unterhaltungen mit der Versuchsgruppe. Von da an wurde der Forschungsaufwand auf qualitative Befragungen und Beobachtungen verlagert, um soziale Einflußfaktoren und Prozesse aufzudecken" (Barton/Lazarsfeld 1979, S. 64).

Solche qualitativen Analysen zur Hypothesenfindung lassen sich leicht zur Theoriebildung ausweiten. Darauf haben vor allem B.G. Glaser und A.L. Strauss hingewiesen. Sie resümieren: „Ganz gleich, welchem Typus von qualitativen Daten man vorzieht, alle scheinen außerordentlich gut für die Entdeckung gegenstandsbezoge-

ner Theorien in den Bereichen und Problemfeldern der Soziologie geeignet zu sein"
(Glaser/Strauss 1979, S. 108; Strauss 1987).

- *Pilotstudien*

Daß Pilotstudien zu Hauptuntersuchungen ein ausgezeichnetes Gebiet für qualitative
Analysen sind, ist mittlerweile unbestritten. Hier geht es ja darum, den Gegenstands-
bereich ganz offen zu erkunden, Kategorien und Instrumente für Erhebung und
Auswertung zu konstruieren und zu überarbeiten. Das ganze Instrumentarium
qualitativer Analyse kommt hier zum Einsatz.

- *Vertiefungen*

Am Beispiel einer eigenen Untersuchung über „Soziale Kontakte in der Großstadt"
zeigt W. Schulz (1977), wie mit qualitativen Verfahren bereits abgeschlossene
Studien entscheidend weitergeführt, vertieft werden können. Er zählt dabei auf:

- Überprüfung der Plausibilität interpretierter (statistisch gesicherter) Zusammen-
  hänge;
- Ergänzung von zu kurz geratenen Informationen bzw. unklar gebliebenen The-
  menkreisen;
- Nachexploration und Erhärtung induktiv gefundener statistischer Zusammenhän-
  ge;
- Hilfe bei der Interpretation der Richtung von Kausalität;
- Auswahl von Variablen für die Erstellung von Typologien (Schulz 1977, S. 65 ff.).

- *Einzelfallstudien*

Daß sich qualitative Analyse eher an Einzelfällen orientiert, ist bereits gesagt.
Fallanalysen sind ein hervorragendes Anwendungsgebiet ihrer eher offenen, eher
deskriptiven, eher interpretativen Methodik. Auf die zunehmende Anwendung von
Einzelfallanalysen bzw. Analysen kleiner Stichproben („Klein-N-Studien"; vgl.
Petermann/Hehl 1979) in der heutigen Forschungspraxis gründet sich somit auch
der wachsende Bedarf qualitativer Methodik. Beispiele, wie erfolgreich qualitative
Analysen bei Einzelfallstudien eingesetzt werden können, finden sich in klassischen
soziologischen Feldforschungsprojekten wie der bereits zitierten Studie von Roeth-
lisberger/Dickson (1939) oder der Untersuchung über die „Street Corner Society"
(Whyte 1943). Beispiele finden sich aber auch in neueren Ansätzen der biographischen Forschung (vgl. z.B. Kohli 1978) oder der Pädagogik (z.B. Baacke 1979).

- *Prozeßanalysen*

Die entscheidende Rolle qualitativer Ansätze bei Prozeßanalysen soll am Beispiel
des DFG-Projektes „Lehrerarbeitslosigkeit" gezeigt werden (Ulich u.a. 1985). Welchen Belastungen arbeitslose Lehrer ausgesetzt sind, wie sie ihre Situation kognitiv
verarbeiten und wie sie sie zu bewältigen versuchen, soll in diesem Projekt in einem
Längsschnitt untersucht werden. 100 Lehrer wurden dazu über ein Jahr hinweg im
Abstand von je zwei Monaten interviewt. Die Rekonstruktion der Belastungs-,
Verarbeitungs- und Bewältigungsprozesse stand aber vor erheblichen Schwierigkeiten. Wo lassen sich die Veränderungen in diesen Prozessen festmachen? Wann finden
die Veränderungen statt? Quantitativ orientierte Prozeßanalysen müssen die Erhebungszeitpunkte immer schon im voraus für alle Untersuchungsfälle gleichermaßen
festlegen, um die Fälle vergleichbar zu machen. Was aber passiert zwischen den

Erhebungszeitpunkten? Prozesse sind immer fließend, laufen meist individuell sehr unterschiedlich ab. Selbst wenn man die Erhebungszeitpunkte an objektiven Veränderungen in der Umwelt einer Person festmacht (im Projekt „Lehrerarbeitslosigkeit" wären das der Anmeldungstermin für Privatschulen, der Schuljahresbeginn der ehemaligen Kollegen usw.), ist nicht gewährleistet, daß diese für jede Person die gleiche Bedeutung haben und damit Anlaß für Veränderungsprozesse geben. So wurden in dieser Untersuchung mit qualitativen, einzelfallintensiven Analysen entscheidende zusätzliche Informationen zur Prozeßrekonstruktion gewonnen. Erst auf dieser Basis kann dann auch versucht werden, die einzelnen Veränderungsprozesse zu erklären (vgl. Ulich u.a. 1985; Strehmel 1981).

• *Klassifizierungen*

Mit Klassifizierung soll gemeint sein: die Ordnung eines Datenmaterials nach bestimmten, empirisch und theoretisch sinnvoll erscheinenden Ordnungsgesichtspunkten, um so eine strukturiertere Beschreibung des erhobenen Materials zu ermöglichen. Barton/Lazarsfeld (1979) nennen solche Analysen *Konstruktionen deskriptiver Systeme* und behandeln dies als Hauptaufgabe qualitativer Forschung.

Klassifizierungen können der Ausgangspunkt für quantitative Analysen sein. So wurden in der Marienthal-Studie über Arbeitslosigkeit die Reaktionsformen der Arbeitslosen zu vier Klassen zugeordnet und deren Verteilung festgestellt:

– Resignation;
– Gebrochenheit – Apathie;
– Gebrochenheit – Verzweiflung;
– Ungebrochenheit.
(Jahoda/Lazarsfeld/Zeisel 1975)

Klassifizierungen können aber auch, vor allem in Form von Typologien, in sich Ziel der Analyse sein. Ein Beispiel, wie aussagekräftig solche typologischen Klassifizierungen sein können, stellt die Analyse des ideologischen Gehalts von Wochenschauen (früher als Vorfilm im Kino gezeigt) von H.M. Enzensberger dar (Enzensberger 1962).

Wenn Klassifizierungen auf einem höheren Abstraktionsniveau stehen als das zu beschreibende Material, wenn sie dadurch schon in sich Erklärungswert besitzen, als „Leitformeln" das Material durchziehen, so sprechen Barton/Lazarsfeld (1979, S. 77 ff.) von *integrierenden Konstrukten*.

• *Theorie- und Hypothesenprüfung*

Die Überprüfung von Theorien und Hypothesen, üblicherweise Vorrecht quantitativer Methodik mit experimentellem oder korrelationsstatistischem Ansatz, ist auch innerhalb qualitativer Analyse möglich. Die Rolle qualitativer Analysen bei der Theoriekonstruktion und bei der Aufklärung der Richtung von Kausalität von Hypothesen wurde bereits angesprochen. Auf diesem Wege sind natürlich auch bereits fertige Theorien oder Kausalitätsannahmen kritisierbar, überprüfbar.

Vor allem aber bei der Überprüfung raum-zeitlich unbeschränkter Theorien, allgemeinerer Gesetzesbehauptungen – lange Zeit das Ideal wissenschaftlicher Forschung – können qualitative Analysen wichtig werden. Bereits ein einziger Fall kann eine Allaussage widerlegen, falsifizieren. Dies kann die Basis sein für eine Einschränkung oder Umformulierung der Theorie bzw. Hypothese.

Barton/Lazarsfeld (1979, S. 83 ff.) zeigen, wie Trend-Theorien, also Theorien

22

über bestimmte Entwicklungstendenzen, mittels qualitativer Daten überprüft werden können. Sie fassen zusammen: „Es ist wahrscheinlich, daß es unterschiedliche Grade und Stufen der Bestätigung von Theorien durch qualitative Daten gibt, die von ganz anfänglichen Ermutigungen, mit einer bestimmten Form der Spekulation fortzufahren, bis zu einer systematischen Untersuchung von Fallmaterial reichen, die in einer gewissen Weise eine Annäherung an den klassischen Kanon der Beweisführung darstellt. Solche Bestätigungen können auch unterschiedliche Funktionen haben, je nachdem, um welchen Theorientyp es sich handelt" (Barton/Lazarsfeld 1979, S. 87).

4. Materialien zu einer qualitativen Inhaltsanalyse

Ansätze zum Verstehen sprachlichen Materials, in denen sich Quellen zur Konstruktion einer qualitativen Inhaltsanalyse finden lassen, sind sehr vielfältig. In den fünf folgenden Bereichen lassen sich solche Ansätze finden.

4.1 Kommunikationswissenschaften: Content Analysis

Die vielen Beispiele aus dem Bereich der Content Analysis, der in Amerika entwickelten quantitativ orientierten Inhaltsanalyse als kommunikationswissenschaftlichem Instrument, die bereits dargestellt wurden (Kap. 2.2), haben gezeigt, daß es sich hier um einen sehr differenzierten, methodisch versierten Umgang mit sprachlichem Material handelt. Deshalb ist in dieser Arbeit auch der Begriff „Inhaltsanalyse" trotz seiner Schwächen übernommen worden (vgl. Kap. 2.1). Hier findet sich reiches Material auch zur Entwicklung einer qualitativen Inhaltsanalyse.

Zunächst ein paar Bemerkungen zur Entwicklung der „Content Analysis" (vgl. dazu z.B. Berelson 1952, S. 21 ff.; Becker/Lissmann 1973; Merten 1983): In den ersten Jahrzehnten dieses Jahrhunderts wurde die Inhaltsanalyse zunächst als systematische Methode der Publizistik zur Analyse von Zeitungsartikeln entwickelt. Entscheidende Arbeit leistete dabei die „School of Journalism" an der Universität von Columbia (vgl. Willey 1929). In den späten Dreißiger Jahren erlebte die Methode einen großen Aufschwung. Verantwortlich dafür war:

– Massenmedien wie Radio und Zeitungen gewannen immer mehr an Bedeutung. Über deren Analyse wurde versucht, die „öffentliche Meinung" herauszufinden. In diesem Zusammenhang wurde unter der Leitung von Paul F. Lazarsfeld das „Bureau of Applied Social Research" an der Universität von Columbia eingesetzt.
– Während des Weltkrieges wurde vom amerikanischen Kongreß zur Auswertung von Feinpropaganda die „Experimental Division for the Study of War-Time-Communications" unter der Leitung von Harold D. Lasswell gegründet.
– Das Justizministerium beauftragte Inhaltsanalysen zu Verfassungsschutzzwecken.
– Auch kommerzielle Auftraggeber (z.B. Presse, General Motors) entdeckten die Methode für sich.

Auf diesem Hintergrund entstand die erste Monographie über die „Content Analysis" von B. Berelson (1952), der sie als objektive, systematische und quantitative Analyse des manifesten Inhalts von Kommunikation ausarbeitete.

Neue Anregungen gewann die Methode durch die Arbeitskonferenz über Inhaltsanalyse des „Committee on Linguistics and Psychology, Social Sciences Research Council" die 1955 im „Allerton House" der Universität von Illinois in Monticello stattfand („Allerton-House-Konferenz") (vgl. Pool 1959). Dort wurde festgestellt:

- daß nicht nur die Zusammenfassung verbalen Materials (description) wichtig sei, sondern auch die Schlußfolgerung (inference) vom Material auf dessen Entstehungsbedingungen und Wirkungen;
- daß im Material nicht nur Symbolhäufigkeiten, sondern auch Symbolzusammenhänge meßbar sind (Kontingenzanalysen);
- daß auch qualitative Verfahren sinnvoll sein können: A.L. George kritisierte die quantitative Inhaltsanalyse und forderte als Ergänzung einen „Nicht-Häufigkeits-Ansatz" (vgl. George 1959);
- daß das Problem der Bedeutung von Symbolen thematisiert werden muß: man könne nicht nur von der lexikalischen Bedeutung von Begriffen ausgehen, sondern müsse ihren Kontext, ihre Entstehungsbedingungen, die mitgedachten Intentionen ebenso berücksichtigen (vgl. Mahl 1959).

Gut zehn Jahre später fand die zweite bedeutende Konferenz über Inhaltsanalyse an der „Annenberg School of Communication" der Universität von Pennsylvania in Philadelphia statt („Annenberg-School-Konferenz" von 1966). Die wichtigsten Weiterentwicklungen waren dabei (vgl. Gerbner u.a. 1969):

- Es wurde versucht, den Analysevorgang selber genauer zu analysieren (die „inhaltsanalytische Situation", vgl. Krippendorff 1969).
- Es wurde gefordert, das kommunikationstheoretische Modell, das der Analyse zugrundeliegt (vgl. Kap. 5.3), zu explizieren (Krippendorf 1969a).
- Es wurden Zwischenpositionen im Streit zwischen qualitativer und quantitativer Analyse angeboten (Holsti 1969; Gerbner 1969).
- Verfahren der Quantifizierung wurden verfeinert. Großangelegte Computerprogramme wurden entwickelt (vgl. Gerbner u.a. 1969, Part IV).

Auf diesem Stand der Diskussion ist die Inhaltsanalyse als kommunikationswissenschaftliches Instrument im wesentlichen stehengeblieben (vgl. Krippendorff 1980). Sie wurde auch außerhalb der Vereinigten Staaten angewandt (vgl. z.B. Lagerberg 1975, d'Unrug 1974), in Deutschland seit Ende der 50er Jahre (vgl. Magnus 1966; Silbermann 1967; Wersig 1968; Rust 1981; Merten 1983). Die quantitativ orientierte Inhaltsanalyse wurde zum Standardinstrument empirischer Kommunikationswissenschaft.

Heute jedoch läßt sich eine Stagnation der Methodendiskussion feststellen. Es mehren sich kritische Stimmen, die die Methode als unzureichend, ihren Ansprüchen nicht genügend bezeichnen, das Wortspiel „discontent analysis" (Unzufriedenheitsanalyse) ist immer häufiger zu hören. So überprüfen Koch/Witte/Witte (1974) sechs neuere publizistische Inhaltsanalysen aus dem deutschsprachigen Raum anhand gängiger Gütekriterien. Sie stellen der Inhaltsanalyse ein schlechtes Zeugnis aus: „Zieht man anhand der besprochenen Arbeiten ein Fazit, so muß man feststellen, daß es bisher noch nicht gelungen ist, mit Hilfe der Inhaltsanalyse ein griffiges Instrument für die Beschreibung und Differenzierung von Zeitschriften zu entwikkeln" (Koch/Witte/Witte 1974, S. 183).

Auch Manfred Rühl spricht der Inhaltsanalyse ein „sozialwissenschaftlich konsentierbares Standvermögen" (Rühl 1976, S. 377) ab. Sie sei zu eng auf Sprache begrenzt, würde durch quantitative Techniken nur oberflächlichen Glanz ausstrahlen und habe das Sinn- und Bedeutungsproblem abgeschoben. „Ergebnisse der Inhaltsanalyse bleiben hochgradig pseudo- und parawissenschaftlich..., wenn es die Inhaltsanalytiker nicht verstehen, ihre Wissenschaftskriterien für methodologische Prüfungen besser zu wappnen" (Rühl 1976, S. 376/377).

Die Ausblendung des Problems der *Bedeutung* von sprachlichen Zeichen durch die Orientierung an Quantifizierungen und am Manifesten Inhalt ist auch für Ingunde Fühlau ein Grund, das *Scheitern* der Inhaltsanalyse festzustellen. „Daher kann quantitative Inhaltsanalyse, löst sie ihre Ansprüche streng ein, von vornherein nur zu verzerrten Ergebnissen führen. Würde sie strikt ausgeführt – was aber eigentlich so gut wie nie der Fall ist – müßte sie entweder zu irrelevanten Beschreibungen von Objekten führen – dies allerdings sehr „objektiv" – oder zu aussagekräftigen Beschreibungen von Kommunikationsinhalten, denen sie nach ihren eigenen Maßstäben jedoch lediglich höchst subjektiven Wert zuschreiben könnte. Damit wäre sie aber in beiden Fällen gescheitert" (Fühlau 1978, S. 15/16, vgl. auch Fühlau 1982).

Wohl gibt es Versuche, die Unzulänglichkeiten der klassischen Inhaltsanalyse innerhalb der Kommunikationswissenschaften *positiv* zu überwinden. Sie sind jedoch bisher bei theoretischen Programmen stehengeblieben, ohne konkrete Techniken vorweisen zu können (z.B. Kracauer 1972). Ein Vorstoß in dieser Richtung ist Holger Rust's Konzept einer qualitativen Inhaltsanalyse (Rust 1980a, 1980b, 1981). Er versteht qualitative Analyse als Qualifikation, als „Klassifikation, Festlegung der Konturen eines Untersuchungsgegenstandes in seinem Kontext, Abgrenzung gegen andere Objekte und die allgemeine Charakterisierung seiner inneren Beschaffenheit" (Rust 1981, S. 196). Sie ist all das, was jede Form der Quantifizierung vorbereitet. Qualitative Inhaltsanalyse muß an Struktur und Bedeutung des zu analysierenden Materials, also des Textes ansetzen. Die Konstruktion eines Textes ist also nach Rust ihre Grundlage:

1. Jeder Text bedeutet die Stilisierung einer Information.
2. Indem der Text bestimmte Informationen stilisiert, aktualisiert er Sinnbezüge.
3. Dadurch werden semantische Einheiten aufgebaut, deren Umfang bestimmt werden muß und variiert werden muß, um innere Konstruktionsprinzipien und äußere Beziehungen aufzudecken.
4. Die untergeordneten Einheiten des Textes werden gekennzeichnet und abgegrenzt.
5. Die Beziehung der untergeordneten Einheiten zu anderen Bereichen des Inhalts oder dahinterstehender Handlungen werden charaktisiert.
6. Diese Beziehungen lassen sich durch bestimmte Figuren ausdrücken, die mehr oder weniger umfangreich sein können.
7. Die Grenzen zwischen den semantischen Untereinheiten lassen sich auf dem jeweiligen kulturellen Hintergrund wieder überwinden.
8. Für den Rezipienten sind bestimmte untergeordnete semantische Felder als Stilisierung seines Alltags erkennbar (vgl. Rust 1980a, S. 12/13).

„So verfolgt die qualitative Analyse eine doppelte Strategie: Sie zwingt den Gegenstand, sich in seiner Struktur zu offenbaren, indem sie detotalisierend ansetzt und nach dem Verhältnis der Einzelaspekte und des vordergründigen Erscheinungsbildes fragt, dies aber mit dem Ziel einer bewußten Retotalisierung vollzieht, um den gesamtgesellschaftlichen Kerngehalt einer jeden Äußerung nicht aus den Augen zu verlieren" (Rust 1980a, S. 21). Rust selbst bezeichnet dies als theoretischen Entwurf und gesteht ein, daß es an konkreten Verfahrensformen durchweg fehle (Rust 1981, S. 201). Dies ist kennzeichnend für die Situation der qualitativen Inhaltsanalyse.

Was läßt sich nun festhalten an Grundlagen zur Entwicklung einer qualitativen Inhaltsanalyse, die aus diesem Bereich ableitbar sind?

Es sind u.E. im wesentlichen vier Grundsätze:

1. Eine qualitative Inhaltsanalyse darf die Vorzüge quantitativer Techniken, wie sie im Bereich der Kommunikationswissenschaften entwickelt wurden, nämlich deren *systematisches Vorgehen*, nicht aufgeben. Sonst muß sie sich Vorwürfe des Impressionistischen, des Beliebigen gefallen lassen.
2. Eine qualitative Inhaltsanalyse darf ihr Material nicht isoliert, sondern als Teil einer Kommunikationskette verstehen. Sie muß es in ein *Kommunikationsmodell* einordnen.
3. Viele Grundbegriffe quantitativer Inhaltsanalyse lassen sich auch in einer qualitativen Inhaltsanalyse beibehalten. So vor allem die Konstruktion und Anwendung eines Systems von *Kategorien* als Zentrum der Analyse.
4. Eine qualitative Inhaltsanalyse muß sich wie jede wissenschaftliche Methode an *Gütekriterien* überprüfen lassen.

4.2 Hermeneutik: Kunstlehre der Interpretation

Die Hermeneutik hat wohl die längste Tradition wissenschaftlichen Umgangs mit sprachlichem Material. Deshalb soll bei der Entwicklung qualitativer Techniken dieser Bereich nicht ungenutzt bleiben.

Hermeneutik taucht schon in der griechischen Mythologie auf in der Gestalt des Götterboten Hermes, dessen Aufgabe wie die jedes Hermeneutikers nach ihm das „hermeneuein" ist, der Prozeß der Verständigung, des Verstehens ist. Ziel wissenschaftlicher Hermeneutik ist es, eine „Kunstlehre" (Schleiermacher) des Auslegens, des Interpretierens nicht nur von Texten, sondern von sinnhafter Realität überhaupt zu entwickeln.

In der Geschichte der Hermeneutik (vgl. dazu z.B. Gadamer/Böhm 1976) lassen sich wohl drei Hauptrichtungen unterscheiden:

- philologisch-historische Hermeneutik als allgemeine Textauslegung;
- theologische Hermeneutik als Auslegung der Heiligen Schrift;
- juristische Hermeneutik als Interpretation von Gesetzestexten.

Die Grundstruktur des hermeneutischen Verstehensprozesses hat Coreth (1969) näher beschrieben. Er unterscheidet vier Dimensionen:

- Die Interpretation weist zunächst eine *Horizontstruktur* auf; der jeweilige Gegenstand wird auf dem Horizont der dahinterliegenden Sinnstruktur ausgelegt.
- Die Auslegung selbst zeigt sich als *Zirkelstruktur*; Voraussetzung für das Verstehen ist das eigene Vorverständnis, das in der Interpretation versucht, sich für den Gegenstand zu öffnen. „So bewegt sich das Verstehen in einer Dialektik zwischen Vorverständnis und Sachverständnis in einem kreisenden oder richtiger: in einem spiralförmig fortschreitenden Geschehen weiter" (Coreth 1969, S. 116). Dieser „Hermeneutische Zirkel" wurde vor allem von Heidegger (1963) genauer beschrieben.
- Das Verstehen vollzieht sich immer in einer *Dialogstruktur*; das zu interpretierende Material wird begriffen als Verständigung zwischen seinem Urheber und dem Interpreten.
- Im Verstehungsprozeß zeigt sich schließlich eine *Vermittlungsstruktur zwischen Subjekt und Objekt*; der Interpret versucht den im Material angesprochenen Gegenständen nahezukommen.

Ein Merkmal hermeneutischer Wissenschaft ist, daß wenig versucht wird, einzelne Techniken des Verstehens zu entwickeln, sondern eher die Grundstrukturen auszuführen. Dadurch bleibt die hermeneutische Methodologie meist sehr theoretisch, abstrakt. Um so löblicher sind Ansätze zu konkreten Verfahrensschritten, wie sie z.B. Danner (1979) oder Klafki (1971, S. 134–153, mit Beispiel!) zusammengestellt haben. Die Darstellung von Danner (1979, S. 89/90) soll deshalb hier in einem längeren Zitat vorgestellt werden:

„(A) Vorbereitende Interpretation:
(1) Im Sinne der *Text- und Quellenkritik* ist zu prüfen, ob der zu interpretierende Text *authentisch* ist. Im Normalfall bedeutet dies, daß der Interpret darauf zu achten hat, ob seine Vorlage eine „kritische Textausgabe" ist; und dies ist wiederum nur bei historischen Texten nötig. Denn bei dem zeitgenössischen Text werden wir meist nur darauf zu achten haben, daß wir die jüngste überarbeitete Auflage verwenden.
(2) Der Interpret muß sich über seine eigene *Vormeinung,* die er über den zu interpretierenden Textinhalt besitzt, klar werden; er muß sich sein persönliches *Vorverständnis* und seine *Fragestellung,* mit denen er an den Text herangeht, bewußt machen.
(3) Es gilt, den *allgemeinen Sinn des Textes,* seinen Scopus, seine Kernaussage, festzustellen, damit sich das einzelne von ihm aus aufschließt. Dieser allgemeine Sinn wird etwa durch die Überschrift, durch das Inhaltsverzeichnis, durch einen Hinweis eines Dritten, am besten aber durch ein erstes Durchlesen erschlossen.

(B) *Textimmanente Interpretation:*
(4) Im Detail wird der Interpret *semantische und syntaktische* Untersuchungen anstellen, also auf Wortbedeutungen und grammatische Zusammenhänge eingehen. Dabei wird er im Sinne des *hermeneutischen Zirkels* zwischen Ganzem und Teil hin- und hergehen; in die Bewegung des hermeneutischen Zirkels müssen auch die eigene Vormeinung und der vorweg angenommene Scopus des Textes aufgenommen, d.h. bewährt oder dem Textsinn entsprechend verändert werden.
(5) Neben den grammatischen sind auch die *Regeln der Logik* anzuwenden, um den Textsinn ganz herzustellen. Dabei kann es technisch hilfreich sein, den Text im groben wie im einzelnen zu gliedern.
(6) Selbst bei Widersprüchen gilt als wichtige hermeneutische Regel, daß der *Autor* für *vernünftig* gehalten wird, daß also eine Unstimmigkeit prinzipiell zunächst zu Lasten des Nicht-Verstehens des Interpreten und nicht zu Lasten des Autors geht. Kann ein Widerspruch trotz intensiver Bemühung nicht aufgelöst werden, so besteht die korrekteste Lösung darin, den Widerspruch als interpretierten festzuhalten: „*Ich* verstehe das so und so."

(C) *Koordinierende Interpretation:*
(7) Zum Verständnis eines bestimmten Textes kann der *Kontext zum Gesamtwerk* des Autors beitragen, indem andere Werke des Autors herangezogen werden und auch die Stellung des interpretierten Textes im Entwicklungsgang des Autors berücksichtigt wird. Handelt es sich beispielsweise um ein Früh- oder um ein Spätwerk?
(8) Zum völligen Verständnis sind die bewußten und unbewußten *Voraussetzungen des Autors* aufzudecken, sofern das möglich ist. Dazu gehören etwa die politische oder religiöse Einstellung des Autors oder sein Argumentieren mit oder gegen zeitgenössische Schriftsteller.
(9) Besonders im pädagogischen Bereich kann zum besseren Verständnis beitragen, wenn der eruierte Textsinn *übersetzt* wird im Hinblick auf die Welt des Verstehenden, wenn also im Hinblick auf eine konkrete Erziehungssituation *aktualisiert* wird. Die Differenz zwischen der Situation des Autors und der des Interpreten darf dabei jedoch nicht verwischt werden.
(10) Die verstandenen Sinn- und Wirkungszusammenhänge sind als *Hypothesen* zu formulieren und als solche zu deklarieren. Diese Hypothesen müssen sich weiterhin bewähren, oder sie müssen korrigiert werden. Die Erfahrung zeigt, daß einmal Verstandenes sich wandeln kann, je länger und intensiver man mit einem Autor und einer bestimmten Sache umgeht" (Danner 1979, S. 89/90).

Was läßt sich nun aus dem Bereich der Hermeneutik festhalten an Grundlagen zur Entwicklung einer qualitativen Inhaltsanalyse? Es sind im wesentlichen die folgenden Punkte:

---

1. Am Anfang einer qualitativen Inhaltsanalyse muß eine genaue *Quellenkunde* stehen. Das Material muß auf seine Entstehungsbedingungen hin untersucht werden.
2. Das Material kann nie vorbehaltlos analysiert werden. Der Inhaltsanalytiker muß sein *Vorverständnis* explizit darlegen. Fragestellungen, theoretische Hintergründe und implizite Vorannahmen müssen ausformuliert werden.
3. Qualitative Inhaltsanalyse ist immer ein *Verstehensprozeß* von vielschichtigen Sinnstrukturen im Material. Die Analyse darf nicht bei dem manifesten Oberflächeninhalt stehenbleiben, sie muß auch auf *latente Sinngehalte* abzielen.

4.3 Qualitative Sozialforschung: interpretatives Paradigma

Unter dem Begriff „Qualitative Sozialforschung" sammeln sich mehrere Ansätze vor allem im Bereich der Soziologie, innerhalb derer sich auch Grundlagen qualitativer Inhaltsanalyse finden lassen. Vor allem drei Richtungen kommen hier zusammen:

• Der „Symbolische Interaktionismus", von Herbert Blumer als Begriff geprägt (was er später jedoch selbst als „barbarische Wortschöpfung" erkannte; Blumer 1973, S. 144), von Georg Herbert Mead (1968) grundgelegt. Danach handeln Menschen aufgrund von Bedeutungen, die sie ihrer Umwelt zuweisen. Diese Bedeutungen entstehen und verändern sich in sozialer Interaktion, sie werden mit anderen Menschen „ausgehandelt".

Zentrale Elemente der darauf bezogenen Forschungsmethodologie sind, so Norman K. Denzin (nach Terhart 1978, S. 160 ff.):

– die Orientierung an *Prozessen* der sozialen Interaktion;
– die Orientierung an der *Perspektive des Subjektes* statt einer von außen herangetragenen Interpretation;
– die Orientierung am jeweiligen *sozialen Hintergrund*;
– die Orientierung an der jeweiligen *Situation*, in der handelnde Subjekte stehen.

• Die Ethnomethodologie, eine nicht minder barbarische Wortschöpfung von Harold Garfinkel (vgl. Arbeitsgruppe Bielefelder Soziologen 1973; Weingarten u. a. 1976). Diese Richtung will an den alltäglichen Aktivitäten der Menschen in der Gesellschaft ansetzen, an routinisierten Handlungen im Alltag. Dort sollen jeweils dahinterliegende Wissensbestände beschrieben und die Interaktionen bestimmenden Basisregeln aufgedeckt werden. Methodologische Grundsätze sind dabei:

– Das Konzept methodisch kontrollierten Fremdverstehens, nach dem das Begreifen alltäglichen Handelns oder überhaupt sozialer Daten immer *Fremdverstehen* bedeutet, die eigenen alltagsweltlichen Wissensbestände prinzipiell nicht ausreichen;

- ein *interpretatives Paradigma* (vgl. Wilson 1973), nach dem menschliche Interaktion nicht als Reiz-Reaktions-Abfolge zu verstehen ist, sondern als interpretativer Prozeß, in dem Bedeutungen untereinander erschlossen und gegenseitig ausgehandelt werden;
- das Konzept der *dokumentarischen Interpretation* (Garfinkel 1973), das Erscheinungen immer als Ausdruck, als „Dokument" eines zugrundeliegenden Musters (z.B. Rollen) versteht.

• Die Feldforschung, ein sich vor allem auf Kurt Lewin berufender Zweig der Sozialforschung, der den Menschen unter natürlichen Bedingungen (nicht im Laborexperiment) beobachten will und durch die Forschungsmethode möglichst wenig verändernd eingreifen will (vgl. z.B. Patry 1982).

Zentrale Methode dieses Ansatzes ist die teilnehmende Beobachtung, eher untergeordnet sind Dokumentanalyse und offenes Interview. Vor allem in der amerikanischen Tradition versteht sich diese Forschungsstrategie als *qualitative Methodologie* (vgl. Bogdan/Taylor 1975; Filstead 1970; Schwarz/Jacobs 1979).

Insgesamt charakterisiert sich qualitative Sozialforschung, so Christel Hopf, durch ein „Interesse an der Analyse von Deutung, Wahrnehmungen und komplexen Deutungssystemen" (Hopf 1979, S. 18) sowie durch ein „Interesse an der Analyse von in sich strukturierten sozialen Gebilden und das Interesse an einer möglichst umfassenden Analyse der Handlungskontexte von Individuen" (Hopf ebd.).

Die Methodik, von Hopf als „typisch qualitative Vorgehensweise" bezeichnet, umfaßt

„– die unstrukturierte oder wenig strukturierte Beobachtung, die über einen sehr kurzen oder sehr langen Zeitraum erfolgen kann und die mit unterschiedlichen Graden und Arten der Teilnahme des Forschers verbunden sein kann;
– das qualitative Interview, das ebenso wie die qualitative Beobachtung von unterschiedlicher Intensität und Dauer sein kann und das zudem durch unterschiedliche Arten des Involvements von seiten des Forschers gekennzeichnet sein kann.
– Qualitative Interviews können unter anderem geführt werden: als Experteninterviews, in denen die Befragten als Spezialisten für bestimmte Konstellationen befragt werden (im Rahmen von anthropologischer oder zeitgeschichtlicher Forschung ist dieser Typus des Interviews relativ verbreitet), oder als Interviews, in denen es um die Erfassung von Deutung, Sichtweisen und Einstellungen der Befragten selbst geht;
– die Erhebung und Analyse von Dokumenten unterschiedlichster Natur (Biographien, formalen Regelungen in Bürokratien, Zeitungen, zeitgenössischen Berichten über bestimmte Ereignisse, Sitzungsprotokollen, Parteitagsprotokollen u.v.a.m.). Insbesondere im Fall der Dokumentenanalyse nähert sich die Arbeit des Soziologen der des Historikers" (Hopf 1979, S. 14/15).

Inhaltsanalysen sind im Rahmen dieses Programms immer wieder als Auswertungsmethode angewandt worden (z.B. Pollock 1955; Smith 1976; Niessen 1977), jedoch ohne daß eine Methodik qualitativer Inhaltsanalyse entwickelt werden konnte. Ein wichtiger Schritt in dieser Richtung sind jedoch die Forderungen, die Cicourel vom Standpunkt der Ethnomethodologie an die Inhaltsanalyse gestellt hat.

Die wichtigsten sollen deshalb hier zitiert werden:

„1. Der Forscher kann die Bedingungen, die zur Herstellung des Dokuments führten, nicht ohne eine Theorie abschätzen, welche die vom Handelnden und von der Sozialstruktur, in der das Material hergestellt wurde, benutzten Common-sense-Bedeutungen erklärt.
2. Inhaltsanalyse nimmt an, daß bestimmte „Themen" dem konnotativen Inhalt der Kommunikation gegenüber invariant sind. Solche „Themen" sind Teil der Theorie des Forschers, die von der Perspektive des Handelnden unabhängig ist. (...)

4. Die Interpretation eines jeden Dokuments, Romans oder Zeitungsartikels unterliegt stets der Möglichkeit einer Re-Interpretation bei „weiterer Überlegungen" oder zusätzlicher Information. Bedingungen, die den Bereich der Möglichkeiten für Re-Interpretation oder Hypothesentest einschränken durch die Forderung, daß die Daten besondere, durch Theorie diktierte Merkmale enthalten sollen, sind schwer zu erfüllen, weil unbekannte Faktoren in der Datenwahl operieren und die Natur des informationalen Inhalts post factum bestimmt wird.
5. Die Materialien können idiomatische Ausdrücke, gruppenspezifischen Jargon oder Konnotationen enthalten, die der Forscher häufig ohne vorheriges Wissen über die Ziele des Schreibers oder seine Art, die Welt zu interpretieren, zu determinieren versuchen muß. (...)
9. Der Sozialwissenschaftler kann es sich nicht leisten, sich für seine Inhaltsanalyse von Kommunikationen auf sein eigenes Common-sense-Verständnis zu verlassen. So zu verfahren, würde ihm die Möglichkeit nehmen, zu differenzieren zwischen dem, was er aufgrund seines theoretischen Rahmens verstehen kann, und dem, was er als ein Mitglied der gleichen Gesellschaft (oder sogar der gleichen Leserschaft), in der die Kommunikation dargeboten war, verstehen kann. (...)
13. Die Tatsache, daß Inhaltsanalysen vorgenommen werden und worden sind, impliziert die häufige Erwartung, daß in der Kommunikation bedeutungsvolle Regelmäßigkeiten oder Muster existieren, aber wir können die Signifikanz einer Inhaltsanalyse nicht allein vermöge ihrer Kategorisierung und sorgfältigen Zählung der unter diese Kategorien subsumierten Einzelelemente voraussetzen, wenn wir nicht wissen, wie der Forscher darüber entscheidet, was seine Kategorien sind, wie sie benutzt werden sollen, unter Bezugnahme auf die theoretischen Voraussetzungen, die der analytischen Methode inhärent sind" (Cicourel 1970, S. 218 ff.).

Schließlich sei aus dem Bereich qualitativer Sozialforschung ein Verfahren angeführt, das an der Fernuniversität Hagen im Rahmen des Projektes „Lebensweltanalyse von Fernstudenten" entwickelt wird (Abels/Heinze/Horstkemper/Klusemann 1977; Heinze/Klusemann 1980). Dort geht es darum, die Biographie, vor allem die „Bildungsgeschichte" und die aktuellen Lebens- und Lernsituationen von Fernstudenten mittels offener Interviews zu erheben und durch eine qualitative Inhaltsanalyse auszuwerten. Die transkribierten, mit zusätzlichen nichtsprachlichen Informationen und über das Interview hinausgehende Kontextinformationen angereicherten Protokolle werden in drei Schritten interpretiert:

1. Schritt: Die Perspektive des Interviewten zu einem bestimmten Thema soll nachvollziehend, beschreibend rekonstruiert werden, seine Interpretationsmuster festgestellt werden. Diese Interpretationen werden den Befragten und Betroffenen auch rückgemeldet.

2. Schritt: Theorien und Kategorien werden nun an den Text herangetragen, in die Sprache des Textes übersetzt, um nun textimmanente Theoriemuster, textgebundene Erklärungen herauszufiltern.

3. Schritt: Diese werden nun aus der Perspektive des Interviewten gewichtet und zu einer subjektiv-gültigen Hierarchie systematisiert. Auch diese Interpretationen werden in diskursiver Verständigung mit den Befragten validiert.

Obwohl dieses Verfahren an einem Beispiel demonstriert wird (Gründe für Studienaufnahme einer Fernstudentin; Heinze/Klusemann 1980), bleibt es weitgehend abstrakt und in der Ausführung dann relativ beliebig, wenig methodisch kontrolliert.

Ein weiteres Verfahren der Textinterpretation darf hier nicht unerwähnt bleiben, die *„objektive Hermeneutik"* von Ulrich Oevermann und Mitarbeitern (Oevermann u.a. 1976; Oevermann/Allert/Konau/Krambeck 1979; Oevermann/Allert/Konau 1980). Ihr Problem war, Protokolle von familialen Interaktionen unter sozialisationstheoretischen Gesichtspunkten zu interpretieren. Das entwickelte Verfahren der Textanalyse versteht nun „Text" sehr weit „als die Klasse von in welchem Medium auch immer protokollierten Handlungen" (Oevermann u.a. 1979, S. 369), hat also einen handlungstheoretischen Ausgangspunkt. Es werden zwei grundsätzlich verschiedene Realitätsebenen unterschieden: „Der Realität von latenten Sinnstrukturen eines Textes einerseits, die unabhängig von ihrer jeweiligen psychischen Repräsentanz auf seiten der Textproduzenten und Textrezipienten rekonstruierbar sind und für die sozialwissenschaftliche Untersuchung auf welcher anderen Realitätsebene auch immer den Ausgangspunkt notwendig bilden müssen und der Realität von subjektiv intentional repräsentierten Bedeutungen eines Textes auf seiten der handelnden Subjekte andererseits" (Oevermann u.a. 1979, S. 367).

Die erstgenannte Realität wird von der „objektiven Hermeneutik" auch versucht, mittels Gedankenexperimenten zu rekonstruieren: Was könnte und was sollte eine Person vernünftigerweise, d.h. nach Geltung des unterstellten Regelsystems, in einem spezifischen Kontext bei Konfrontation mit einem spezifischen Handlungsproblem tun?

Wenn nach der Prüfung des Materials keine vernünftige Handlung vorliegt, wird, wiederum gedankenexperimentell, nach neuen Kontextbedingungen gesucht, die die Handlung sinnvoll erscheinen lassen. Dabei gilt eine Sparsamkeitsregel: Bei konkurrierenden Interpretationen soll immer die gewählt werden, die am wenigsten mit individualspezifischen Zusatzbedingungen auskommt.

Bei der Feinanalyse unterscheiden Oevermann und Mitarbeiter acht Ebenen:

Ebene 0:   Explikation des einem Interakt unmittelbar vorausgehenden Kontextes aus der Sicht dessen, der nun reagiert.

Ebene 1:   Paraphrase der Bedeutung eines Interakts gemäß dem Wortlaut der begleitenden Verbalisierung.

Ebene 2:   Explikation der Intention des interagierenden Subjektes.

Ebene 3:   Explikation der objektiven Motive und objektiven Konsequenzen des Interaktes.

Ebene 4:   Explikation der Funktionen eines Interaktes in der Verteilung von Interaktionsrollen.

Ebene 5:   Charakterisierung des sprachlichen Materials des Interaktes.

Ebene 6:   Extrapolation der Interpretationen des Interaktes auf durchgängige Kommunikationsfiguren, Beziehungsprobleme, situationsübergreifende Persönlichkeitsmerkmale und resümierende Interpretation; Rekonstruktion der objektiv latenten Sinnstruktur der Szene.

Ebene 7:   Explikation allgemeiner, theoretischer Zusammenhänge, die sich auf die Szene beziehen lassen. Die Szene kann für die Geltung oder Modifizierung allgemeiner Hypothesen als Beispiel dienen.

Hier ist ein Beispiel angebracht. In einer Familie soll abends für die Kinder eine Fernsehsendung (Sandmännchen) eingestellt werden. Der Vater bemüht sich um den von ihm mit komplizierten funktechnischen Zusatzeinrichtungen ausgestatteten Fernsehapparat – ohne Erfolg. Die Mutter kommt mit dem Essen herein, geht zum Fernsehapparat und findet sofort das gewünschte Programm. Die Protokollstelle dazu lautet (M = Mutter; V = Vater; BK = Kommentar des Beobachters):

1M1   „Hm? Hm?"
2V1   „Da stimmt irgend etwas nicht mit der Skala."
BK: M. hat sofort gefunden. V. etwas sauer deswegen, offensichtlich.

32

3M2   „Die Ruth, die spielt da immer so viel dran."
BK: V. steht jetzt auf. Studiert das Programm.

Zu dieser Szene haben Oevermann u.a. eine Feinanalyse vorgelegt (Oevermann u.a.
1979, S. 403 ff.). Hier ein Ausschnitt zur Äußerung 2V1 mit zugehörigem Beobach-
terkommentar:

„0 M. hat V. zur Kommentierung oder Erklärung indirekt aufgefordert. V. hat objektiv versagt in
bezug auf ein Handlungsziel, das vorher von ihm selbst den Kindern gegenüber als wichtige
Veranstaltung thematisiert worden ist. M. hat ihn „geschlagen", sie ist objektiv „besser"
gewesen. V. könnte jetzt diese Niederlage einfach übergehen, weil sie im Grunde unwichtig ist,
er könnte bei M. nachfragen, wieso er das nicht gefunden hat, woran es wohl gelegen hat, er
könnte aber auch bis hin zur Ironie die technische Kompetenz der Frau loben und so wieder in
das gemeinsame Handlungssystem der Familie integrieren. V. steht weiterhin vor dem Problem,
seine „angeschlagene Stellung" vor den Kindern wieder herzustellen beziehungsweise zu
prüfen, wie von den Kindern, aber auch von seiner Frau die Niederlage aufgenommen worden
ist. Gleichzeitig scheint deutlich spürbar zu sein, daß er verärgert ist. V. steht also vor dem
Problem, diesen Ärger angemessen in seiner Selbstdarstellung unterzubringen. Weiterhin: Er
kann die Gründe für sein Scheitern bei sich selbst suchen oder auf andere projizieren.
1 V. kommentiert seinen Mißerfolg: Daß er die richtige Einstellung nicht gefunden habe, liege
daran, daß mit der Skala irgendetwas nicht stimme.
2 V. will seinen Mißerfolg erklären. Er sucht dafür eine äußere Ursache, die aber unklar bleibt. An
ihm selbst könne es nicht gelegen haben. Berücksichtigt man, daß für V. die funktechnischen
Geräte stark „besetzt" sind und er deren Bedienung offensichtlich zum Bestandteil seiner
Kompetenzansprüche macht, so wird plausibel, daß V. seine Kompetenz dadurch wiederher-
stellen möchte, daß er unbekannte, außer ihm selbst liegende Gründe für sein Scheitern anführt.
Gleichzeitig enthält diese Nennung äußerer unbekannter Gründe eine latente Anklage der
Familie gegenüber: Irgendwas ist mit seinen Geräten passiert, was nicht in Ordnung ist. Dafür
muß eine Erklärung abgegeben werden.
3 a) Gegenüber dem Auditorium macht V. durch diesen Kommentar seine Kompetenzgefährdung
durch diesen vergleichsweise harmlosen Anlaß erst zu einem „issue". Er fordert seine Kompetenz
in der Haltung defensiv und an der Mitteilungsoberfläche nach außen projizierend zurück in
einer sozial wenig erfolgreichen Weise. Denn klar ist ja, daß, welche Gründe auch immer sein
Scheitern bedingt haben, sie die M. nicht daran hindern konnten, innerhalb kürzester Zeit die
richtige Einstellung zu finden. Erfolgreicher wäre es gewesen, die Mutter direkt danach zu
fragen, durch welches Wissen sie sofort Erfolg haben konnte, statt nach dubiosen äußeren
Ursachen zu fragen. Diese erfolgreichere Strategie kann V. nicht einschlagen, weil er nicht
souverän genug ist, seine Kompetenzansprüche über ein so vergleichsweise harmloses Mißge-
schick erhaben sein zu lassen" (Oevermann u.a. 1979, S. 403).

Das Verfahren der „Objektiven Hermeneutik" ist wohl eines der differenziertesten
qualitativen Interpretationsverfahren; so erfordert es auch nach eigenen Angaben für
eine Seite Protokoll 10 bis 15 Stunden Arbeit für drei bis sieben Mitarbeiter, die eine
40- bis 60-seitige Interpretation liefern (Oevermann u.a. 1979, S. 393). Trotzdem
erscheint es in großen Teilen methodisch zu wenig abgesichert. Viele Interpretationsschritte sind ungenügend begründet und erscheinen dadurch beliebig. Insgesamt ist
es einseitig soziologisch orientiert: Soziale Regeln als objektive Sinnstrukturen
sollen auf den Einzelfall angewandt werden (und nicht umgekehrt: Konstruktion von
sozialen Regeln aus verschiedenen Einzelfällen). Auch Terhart's Kritik geht in eine
ähnliche Richtung, wenn er die „Wiedereinführung des Dialogs mit den Interpretierten als zentrale Forderung an objektive Hermeneutik" (Terhart 1981, S. 786) stellt.
   Abschließend möchte ich auch aus dem Bereich qualitativer Sozialforschung
einige Grundsätze festhalten, die für die Entwicklung einer qualitativen Inhaltsanalyse entscheidend sind:

1. Die wissenschaftliche Orientierung am *Alltag,* an alltäglichen, unter natürlichen Bedingungen ablaufenden Prozessen des Denkens, Fühlens und Handelns bezieht sich auch auf das methodische Vorgehen: qualitative Inhaltsanalyse muß anknüpfen an *alltäglichen Prozessen des Verstehens und Interpretierens sprachlichen Materials.*
2. Ein Ansatz der Analyse muß die *Übernahme der Perspektive des anderen,* also des Textproduzenten sein, um eine „Verdoppelung" des eigenen Vorverständnisses zu verhindern.
3. Eine Interpretation sprachlichen Materials auch durch qualitative Inhaltsanalyse ist immer prinzipiell unabgeschlossen. Sie birgt immer die *Möglichkeit der Re-Intepretation.*

4.4 Literaturwissenschaft

In den Literaturwissenschaften nimmt neben einer hermeneutischen Tradition die systematische Textanalyse in Theorie und Methodik einen breiten Raum ein.

Hier wurden im Bereich der Semiotik wichtige Grundbegriffe für die Analyse sprachlichen Materials entwickelt. *Semiotik* definiert sich dabei als „die Lehre, die den allgemeinen Bedeutungsaustausch handelnder/miteinander kommunizierender Individuen zum Gegenstand hat." (Schulte-Sasse/Werner 1977, S. 49). Es wird nun unterschieden zwischen:

– den eigentlichen sprachlichen Zeichen (Wörter, Sätze, ...);
– den Menschen, der Gesellschaft, die diese Zeichen benutzen;
– den Objekten, auf die sich diese Zeichen beziehen;
– den gedanklichen Abbildern der Objekte, die im Bewußtsein der Benutzer existieren.

Danach lassen sich die grundlegenden Fragestellungen bei der Analyse von Texten bestimmen:

– Wie baut sich der Text aus einer Menge einzelner Zeichen auf, wie ist er konstruiert (*Syntaktik*)?
– Welche Sinngehalte haben die Zeichen, wie sind sie inhaltlich interpretierbar (*Semantik*)?
– Welche Relation besteht zwischen den Zeichen und den Zeichenbenutzern, den gesellschaftlich-handelnden Individuen (*Pragmatik*)?
– Welche Beziehung haben die Zeichen zu den jeweils bezeichneten Objekten (*Sigmatik*)?

Diese Fragestellungen lassen sich schematisch darstellen (Abb. 3).

Bedenkt man, daß lange Zeit in der inhaltsanalytischen Diskussion gestritten wurde, ob Sprache eher als bestimmte Gegenstände widerspiegelnd (Repräsentatives Modell) oder eher als bestimmte Intentionen des Sprechers tragend (Instrumentelles Modell) aufzufassen sei (vgl. Osgood 1959), so sieht man den Wert dieses Ansatzes; er begreift beides als notwendige Merkmale von Sprache.

Als einer der weitestgehenden Versuche, Sprache zu analysieren, muß wohl die *strukturale Semantik* (Schulte-Sasse/Werner 1977, S. 63 ff.; Greismas 1971) gelten. Sie geht davon aus, daß die Bedeutung von Begriffen nicht einzeln, isoliert existiert,

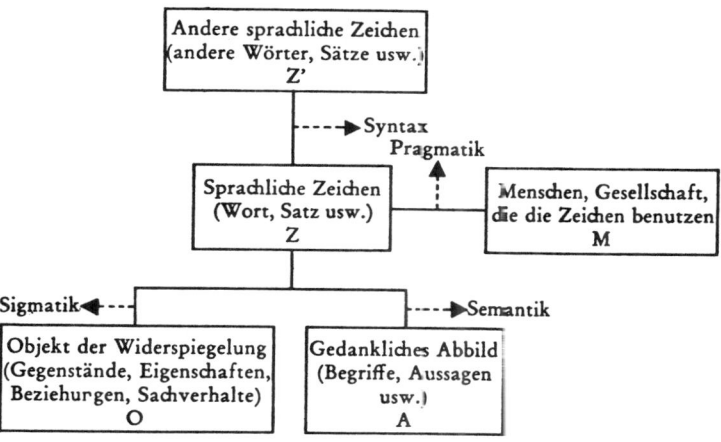

Abbildung 3: Gegenstand der Semiotik (Schulte-Sasse/Werner 1977, S. 53)

sondern nur in der Relation mehrerer Textbestandteile, in deren Struktur. So bedeutet „blau" etwas ganz verschiedenes im Zusammenhang mit einer Glockenblume oder einem Alkoholiker. Darüber hinaus tragen einzelne Begriffe eine ganze Reihe verschiedener Bedeutungsaspekte in sich. Hierfür wurde eine Einheit geschaffen, das *„Sem"*, als die kleinste Bedeutungseinheit eines Begriffes, als das Atom der strukturalen Semantik. Ziel ist es nun, die Sprache in solche Minimaleinheiten aufzugliedern und wieder zusammenzusetzen. So kann man bei Begriffen für Sitzgelegenheiten an verschiedenen Semen unterscheiden:

s1: mit Rückenlehne
s2: mit Beinen
s3: für 1 Person
s4: zum Sitzen
s5: mit Armlehnen
s6: aus hartem Material

Der Begriff „Sofa" setzt sich zusammen aus den Semen s1, s2, s4, s5, hingegen der Begriff „Hocker" aus den Semen s2, s3, s4, s6 (Lüger 1974). Daneben kann aber z.B. der Begriff „Sofa" *je nach Kontext* weitere Bedeutungseinheiten repräsentieren, wie „gemütlich", „spießig" oder auch „aristokratisch". Interessant wird es nun, wenn in einem Text nach der Analyse verschiedener Begriffe, die sich auf einen Gegenstand oder Sachverhalt beziehen, gleiche oder ähnliche Seme festgestellt werden, die eine semantische Ebene bilden (sog. Isotopien). Bei der Analyse schwer verständlicher Gedichte hat die strukturale Semantik damit einige Erfolge erzielen können.

Was aber ist das Kriterium, bestimmte Bedeutungsgehalte zu Begriffen zuzuordnen? Dies ist eine Frage der zugrundegelegten *Bedeutungstheorie*. Nach Heringer (1974) könnte man hier drei Ansätze unterscheiden:

Referenztheorie (lexikalische Bedeutungstheorie):

Gegenstände und Zeichen sind eindeutig zugeordnet. Das Zeichen (der Begriff) ist direkter Referent eines Dinges. In einem Lexikon lassen sich diese Bedeutungen sammeln und bei Interpretationen ablesen.

Vorstellungstheorie (mentalistische Bedeutungstheorie):

Bedeutungen entstehen, wenn der Sprecher eine gedankliche Assoziation mit dem Zeichen vollzieht. Bedeutungen sind subjektive, individuell unterschiedliche Vorstellungen.

Gebrauchstheorie (pragmatische Bedeutungstheorie):

Die Bedeutungen erschließen sich aus dem tatsächlichen Gebrauch der Begriffe innerhalb einer bestimmten Sprachgemeinschaft zu einer bestimmten Zeit. Sie bestimmen sich aus den Verwendungsregeln, die in der Sprachgemeinschaft, der der Sprecher bzw. der Interpret angehört, ausgehandelt werden.

Innerhalb der Literaturwissenschaft wird heute der pragmatische Ansatz eindeutig favorisiert (vgl. z.B. Maas/Wunderlich 1972). Denn Referenztheorien übersehen, daß Begriffsdeutungen sich verändern können und mentalistische Bedeutungstheorien erwecken den Eindruck, als sei Verständigung mittels Sprache nur rein zufällig möglich.

Zur Verdeutlichung literaturwissenschaftlichen Umgehens mit Texten sei zum Abschluß eine Sammlung von über 100 Interpretationsregeln (IR) vorgestellt, die Manfred Titzmann (1977) zusammengestellt hat. Hier die m.E. wichtigsten:

„IR 1a: Interpretatorische Aussagen müssen eindeutig intersubjektiv verstehbar sein (also z.B. mit möglichst präzisen Definitionen oder doch wenigstens Umschreibungen ihrer Begriffe arbeiten). (...)

IR 1c: Interpretatorische Aussagen müssen unmittelbar oder mittelbar empirisch nachprüfbar, d.h. verifizierbar bzw. falsifizierbar sein. (...)

IR 3: Wenn ein Text partiell divergierende Interpretationen erlaubt, ist zwar die Interpretation schon richtig, die diese Tatsache feststellt; befriedigend ist aber nur die, die diese divergierenden Bedeutungen als funktionale Elemente einer dritten und übergeordneten Bedeutung zu korrelieren vermag (Analoges verlangt auch Genot). (...)

IR 4: Jede (befriedigende) Text-Analyse ist ein System von Hypothesen über den Text, die untereinander korreliert und hierarchisiert sind und auf möglichst einfache Grundhypothesen zurückgeführt werden. (...)

IR 5: Jede Analyse eines Textes umfaßt einen Akt der Zerlegung in Segmente und davon abstrahierte Klassen und einen Akt der Zusammensetzung durch Korrelierung und Hierarchisierung dieser abgeleiteten Klassen. (...)

IR 6: Das Individuelle ist genau insoweit beschreibbar, als es als Durchschnitt verschiedener allgemeiner Klassen, denen es gleichzeitig angehört, beschreibbar ist. (...)

IR 58a: Eine hypothetische Klassenbildung bestätigt sich, wenn die Klasse(n) derartig ist (sind), daß
a) auch völlig andere Sachverhalte/Signifikate als die, von denen die Klasse abstrahiert wurde, dieser Klasse subsumierbar sind, d.h. in sie untergliedert bzw. in sie eingegliedert werden können (Nichttriviale Rekurrenz).

b) die Klassenbildung funktionalisiert oder neutralisiert wird. (...)

IR 59: Zu wählen ist die Klassenbildung, die

a) *ökonomisch* ist, weil sie bei Annahme möglichst weniger Klassen möglichst viele Text-Daten erfaßt.

b) *adäquat* ist, weil sie die an der Oberfläche des Textes gesetzten Unterschiede von Termen ebenso wie die Gemeinsamkeiten von Termen abbildet.

c) *fruchtbar* ist, weil sie Folgerungen ermöglicht, die ihrerseits durch Daten der Text-Oberfläche gestützt werden" (Titzmann 1977).

Solche Verfahren erscheinen zwar zunächst noch sehr allgemein und formalistisch, stellen aber m.E. eine entscheidende Fortentwicklung gegenüber hermeneutischen Literaturinterpretationen dar.

Ist dieser Ansatz der Versuch von der *semantischen* Ebene her Sprache zu analysieren, so gibt es auch Bemühungen, die *pragmatische* Ebene mit in die Analyse einzubeziehen. Peter Wiedemann (1981) zieht hier die Sprechakt-Theorie (Searle 1971, Austin 1979) heran, die Sprache in elementare Handlungen der Sprechenden zerlegt. Solche Handlungen lassen sich klassifizieren nach Kriterien wie:

Empathisch
Responsiv
Rational erklärend
Nachfragend
Interpretierend
Selbstoffenbarung
Ratschlag
Bewertung
Andere (Reismann/Yamakoski 1974 nach Wiedemann 1981, S. 24)

Wiedemann stellt nun eine Ablaufstruktur einer Inhaltsanalyse mit dem Ziel eines pragmatischen Klassifikationssystems auf:

1. Da Sprache immer auch als Dialog aufzufassen ist, muß die Dialogstruktur zunächst festgestellt werden. Einzelne Sprecherzüge, Hörerverstehenssignale, Gesprächsbeanspruchungsinitiativen, Hörerbewertungen müssen ausgesondert werden.
2. Handlungen, die redeorganisierende Funktion besitzen, müssen herausgestellt werden.
3. Der so eingegrenzte Gesprächskorpus ist nach Sprechakten aufzugliedern. Die Gesprächshandlungsbedeutung wird ermittelt und nach ihrer Kontextangemessenheit beurteilt.
4. Die so festgelegten Sprechhandlungsbedeutungen sind einer zielbezogenen Taxonomie zuzuordnen. Dabei ist es sinnvoll, übergeordnete Handlungen herauszukristallisieren oder von den Anforderungskonturen des Gespräches auszugehen (Wiedemann 1981, S. 53/54).

Was kann man nun aus diesem Bereich an Grundsätzen zur Entwicklung einer qualitativen Inhaltsanalyse festhalten?

1. Eine qualitative Inhaltsanalyse muß die *semiotischen Grundbegriffe* in ihr zugrundeliegendes Kommunikationsmodell aufnehmen, um dadurch ihre jeweilige Analyserichtung zu präzisieren.
2. Eine qualitative Inhaltsanalyse muß von einer *pragmatischen Bedeutungstheorie* ausgehen, d.h. sie muß die Kommunikationsgemeinschaft definieren, über die bzw. für die Aussagen gemacht werden sollen und dort nach Regeln zum Gebrauch der Begriffe suchen.
3. *Die Interpretationsregeln der strukturalen Textanalyse* (z. B. Titzmann) müssen für konkrete Techniken qualitativer Inhaltsanalyse nutzbar gemacht werden, um die semantische Ebene des Materials zu analysieren.
4. Der pragmatische Aspekt des Materials muß durch die Interpretation einzelner *Sprechakte* für eine qualitative Inhaltsanalyse erfaßbar gemacht werden.

4.5 Psychologie der Textverarbeitung

Es soll nun noch auf einen Bereich eingegangen werden, der reiches Material zur Entwicklung einer qualitativen Inhaltsanalyse liefert, die Psychologie der Textverarbeitung.

Die Psychologie der Textverarbeitung setzt sich zum Ziel, die psychischen Prozesse beim Verstehen, bei der Verarbeitung von Texten empirisch zu untersuchen und will dies für die Pädagogik (Didaktik des Lehrens und Lernens mit Texten) nutzbar machen (vgl. Ballstaedt/Mandl/Schnotz/Tergan 1981; Mandl 1981). Textverarbeitung wird dabei verstanden als ein Interaktionsprozeß zwischen Leser und Text, als eine aktive Konstruktion von Bedeutungsstrukturen durch den Leser. Sein Vorwissen und seine Interessen üben dabei eine selektive und organisierende Funktion aus. Die Steuerung des Textverständnisses durch solches Vorwissen wird durch den Begriff des kognitiven *Schemas* zu erfassen gesucht. „Unter Schema wird eine aktive Organisationseinheit des Wissens verstanden, die aufgrund von Erfahrungen verschiedene Konzepte über Gegenstände, Zustände, Ereignisse und Handlungen in einem Wissenskomplex vereinigt" (Schnotz/Ballstaedt/Mandl 1981, S. 113).

Entscheidend ist nun, daß die konkrete Textverarbeitung als Konstruktionsprozeß gefaßt wird mit einer *aufsteigenden* (textgeleiteten) und einer *absteigenden* (schemageleiteten) Verarbeitungsrichtung. Ballstaedt u.a. (1981) haben dies in einem Modell verdeutlicht (Abb. 4).

Der Text (ganz unten im Modell) wird zunächst visuell erfaßt, es werden Buchstaben, Buchstabencluster, Wörter usw. erkannt (subsemantische Prozesse, semantisch-syntaktische Verarbeitung), um schließlich ein Netzwerk von Bedeutungseinheiten (Mikropropositionen) daraus zu bilden. Dabei wird bereits zusätzliches eigenes Vorwissen eingebaut: Durch intendierte Interferenzen ergänzt der Leser den Text, durch Elaborationen fügt er über den Text hinausgehende Bedeutungseinheiten hinzu, um zu einer kohärenten Bedeutungsstruktur über den Text zu gelangen.

Die weitere Verarbeitung eines Textes, so wird beschrieben und durch Untersuchungen belegt, geschieht nun in *reduzierender* Weise: Der Text wird in einer Art Zusammenfassung zu einem kleineren Netzwerk von Bedeutungseinheiten (Makropropositionen) reduziert. Dabei sind bestimmte Zusammenfassungsstrategien (Makrooperatoren) zu unterscheiden. Ballstaedt u.a. (1981) beschreiben hier aufgrund der Forschung von van Dijk (z.B. van Dijk 1980) und einer eigenen Untersuchung (Schnotz u.a. 1981) sechs reduktive Prozesse:

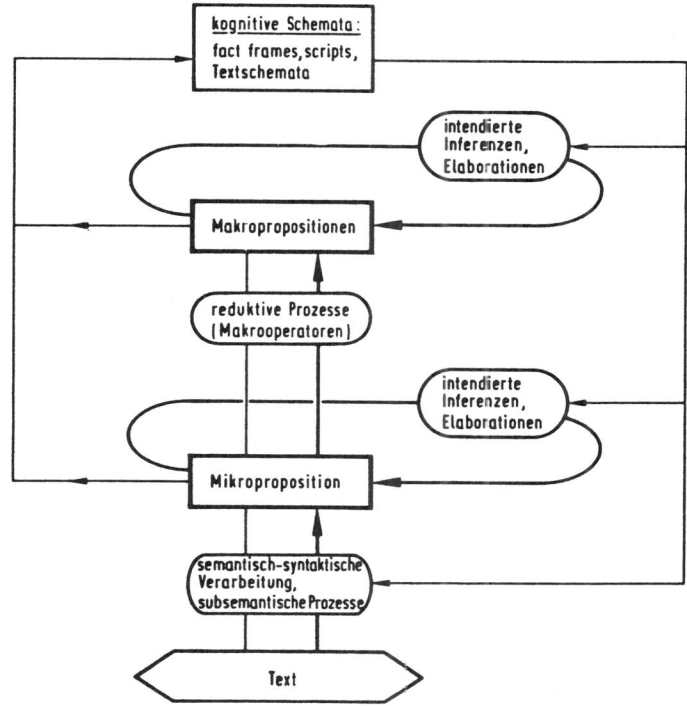

Abbildung 4: Schema der Verarbeitungsprozesse beim Textverstehen (Ballstaedt u.a. 1981, S. 83)

1. Auslassen

„Eine Proposition der Textbasis kann weggelassen werden, wenn sie weder eine Voraussetzung für die Interpretation einer anderen Proposition der Textbasis ist, noch eine Konsequenz einer Makroproposition darstellt. Einfach ausgedrückt: Irrelevante Propositionen in der Textbasis können bei der Bildung der Makrostruktur weggelassen werden. Ein Beispiel hierzu findet sich gleich im ersten Satz des obigen Textes über Völkerkunde:

Da die Welt nach einem gängigen Schlagwort durch Flugzeuge, Satelliten und Fernsehen kleiner geworden ist...

Der Hinweis, daß es sich hier um ein gängiges Schlagwort handelt, ist für die Interpretation der übrigen Textpropositionen irrelevant und kann deshalb weggelassen werden:

Da die Welt durch Flugzeuge, Satelliten und Fernsehen kleiner geworden ist...“
(Ballstaedt u.a. 1981, S. 70/71)

2. Generalisation

„Wenn alle Propositionen einer Propositionsfolge eine andere Proposition implizieren, so kann die Folge durch diese begrifflich übergeordnete, abstraktere (Makro-)Proposition ersetzt werden. Die Generalisation kann sich dabei auf die Prädikate der Propositionen oder auf deren Argumente oder auf beide Seiten beziehen. Ein Beispiel für eine Argument-Generalisation bietet wieder die obige Zusammenfassung des Völkerkundetextes. Im Text heißt es:

Da die Welt... durch Flugzeuge, Satelliten und Fernsehen kleiner geworden ist...

Die Zusammenfassung dazu lautete:

Da die Welt durch Verkehrsmittel und Medien kleiner geworden ist...“
(Ballstaedt u.a. 1981, S. 71)

3. Konstruktion

„Wenn in einer Folge von Propositionen jede einen Sachverhalt ausdrückt, der eine charakteristische Voraussetzung oder Konsequenz, ein charakteristischer Bestandteil oder eine typische Eigenschaft eines umfassenderen Sachverhalts ist, so kann die Propositionsfolge durch eine (Makro-)Proposition ersetzt werden, die den globaleren Sachverhalt als Ganzes kennzeichnet. Die Propositionssequenz wird also durch eine neu zu bildende, nicht bereits im Text vorhandene Proposition ersetzt. Ein Beispiel hierzu wäre:

Er nahm die Streichhölzer, zündete seine Pfeife an und stieß dicke Wolken aus.

Er rauchte."
(Ballstaedt u.a. 1981, S. 71/72)

4. Integration

„Dieser Makrooperator entspricht im wesentlichen der Konstruktion. Seine besondere Stellung ergibt sich einfach daraus, daß die Proposition, die sich bei Anwendung der Operation *Konstruktion* auf eine Sequenz von Propositionen ergibt, bereits in der Textbasis enthalten sein kann. In diesem Fall wird die betreffende Proposition, die die Sequenz als Ganzes vertritt, als Makroproposition ausgewählt, und die übrigen Propositionen können entfallen, da sie bereits in der übergeordneten Proposition integriert sind. Ein Beispiel hierfür ist:

Er nahm die Streichhölzer, zündete die Pfeife an und rauchte.

Er rauchte."
(Ballstaedt u.a. 1981, S. 72)

5. Selektion

„Durch diesen Makrooperator wird eine Proposition aus der Textbasis unmittelbar in die semantische Makrostruktur überführt. ... Es handelt sich jeweils um Propositionen, die zu wichtig sind, als daß sie weggelassen werden könnten, und andererseits nicht zusammen mit anderen durch Konstruktion oder Generalisation sinnvoll reduziert werden können" (Ballstaedt u.a. 1981, S. 73).

6. Bündelung

„Inhaltlich eng zusammenhängende, aber im Text zum Teil weit verstreut liegende Propositionen werden bei der Zusammenfassung auf einmal bzw. als Ganzes wiedergegeben. Diese gebündelte Reproduktion kann als Indikator dafür angesehen werden, daß eine Makroproposition aufgebaut worden ist, die die im Text verstreuten Mikropropositionen unter sich subsummiert und bei der Verbalisierung die gedrängte Wiedergabe bewirkt" (Ballstaedt u.a. 1981, S. 73).

„Ein Beispiel hierfür bietet folgende Bedeutungseinheit in einem Protokoll:

Den Symbolischen Interaktionismus interessiert die Bedeutung eines Dings in der Umwelt eines Menschen für den konkreten Menschen oder die konkrete Gesellschaft.

Die entsprechenden – aber im Text verstreuten – Bedeutungseinheiten sind:

Die Interaktionisten wollen wissen: Die Bedeutung eines Dings für einen Menschen oder eine Gruppe von Menschen.
Die Interaktionisten wollen wissen: Die Bedeutung eines Dings in der in der Umwelt eines Menschen für diesen Menschen.
Eine solche objektive Beschreibung des Stuhles sagt nichts aus über: Bedeutung eines Stuhls für die Menschen einer bestimmten Gesellschaft.
Die Interaktionisten fragen bei jedem Ding nach der Bedeutung des Dings innerhalb einer gegebenen Gesellschaft" (Schnotz u.a. 1981, S. 138).

Auch auf der nun erreichten Stufe der Makropropositionen spielen wieder vom Leser hinzugefügte Bedeutungseinheiten (intendierte Inferenzen, Elaborationen) eine Rolle (vgl. Abb. 4).

Bei der *Wiedergabe* eines Textes spielen sich diese Prozesse in umgekehrter Weise ab. Schnotz u.a. (1981) sprechen hier von *inversen Makrooperatoren:*

– Inferieren fehlender Einheiten,
– Spezifizierung/Konkretisierung,
– Ausdehnung zu ausführlicher Darstellung,
– Weitergabe von Makroeinheiten direkt zur Mikroebene.

Was läßt sich nun aus dem Bereich der Psychologie der Textverarbeitung für die Entwicklung einer qualitativen Inhaltsanalyse festhalten?

1. Wenn qualitative Inhaltsanalyse an *alltäglichen* Prozessen des Verstehens und Interpretierens sprachlichen Materials anknüpfen will (vgl. Punkt 4.3), so muß sie die empirischen Analysen der Psychologie der Textverarbeitung mit einbeziehen.
2. Ein Ziel qualitativer Inhaltsanalyse wird sein, sprachliches Material systematisch *zusammenzufassen*. Dabei können aus den eben beschriebenen *Makrooperatoren* reduktiver Prozesse Regeln entwickelt werden.

In diesem Kapitel wurden nun fünf Gebiete behandelt, die Materialien zur Entwicklung einer qualitativen Inhaltsanalyse liefern. Dabei wurden insgesamt 15 Grundsätze festgehalten:

1. Notwendigkeit systematischen Vorgehens
2. Notwendigkeit eines Kommunikationsmodells
3. Kategorien im Zentrum der Analyse
4. Überprüfung anhand von Gütekriterien
5. Entstehungsbedingungen des Materials
6. Explikation des Vorverständnisses
7. Beachtung latenter Sinngehalte
8. Orientierung an alltäglichen Prozessen des Verstehens und Interpretierens
9. Übernahme der Perspektive des anderen
10. Möglichkeit der Re-Interpretation
11. Semiotische Grundbegriffe
12. Pragmatische Bedeutungstheorie
13. Interpretationsregeln der strukturalen Textanalyse
14. Psychologie der Textverarbeitung
15. Makrooperatoren für Zusammenfassungen

In den nächsten Kapiteln soll nun das Vorgehen einer qualitativen Inhaltsanalyse konkretisiert und anhand eines Beispieles demonstriert werden.

5. Techniken qualitativer Inhaltsanalyse

Wie bereits betont, soll qualitative Inhaltsanalyse hier nicht als Alternative zur quantitativen Inhaltsanalyse konzipiert werden. Das Anliegen dieser Arbeit ist, eine Methodik systematischer Interpretation zu entwickeln, die an den in jeder Inhaltsanalyse notwendig enthaltenen qualitativen Bestandteilen ansetzt, sie durch Analyseschritte und Analyseregeln systematisiert und überprüfbar macht. In eine solche „Interpretationslehre" lassen sich sehr wohl sinnvoll quantitative Schritte einbauen, nur bekommen sie nun einen neuen Stellenwert. Der Begriff „qualitative Inhaltsanalyse" mag also für diesen Ansatz nur zum Teil zu stimmen, soll aber trotzdem beibehalten werden, um den Schwerpunkt klar zum Ausdruck zu bringen.

Der grundlegende Ansatz der qualitativen Inhaltsanalyse ist nun, die Stärken der quantitativen Inhaltsanalyse beizubehalten und auf ihrem Hintergrund Verfahren systematischer qualitativ orientierter Textanalyse zu entwickeln. Ich möchte dies in den folgenden Punkten erläutern:

Einbettung des Materials in den Kommunikationszusammenhang

Ein besonderer Vorteil inhaltsanalytischen Vorgehens im Vergleich zu anderen Textanalyseansätzen ist ihre kommunikationswissenschaftliche Verankerung. Das Material wird immer in seinem Kommunikationszusammenhang verstanden. Der Interpret muß angeben, auf welchen Teil im Kommunikationsprozeß er seine Schlußfolgerungen aus der Materialanalyse beziehen will.

Diese inhaltsanalytische Besonderheit sollte für Qualitative Inhaltsanalyse in jedem Falle bewahrt werden, gerade weil viele quantitative Inhaltsanalysen diesen Punkt vernachlässigt haben. Der Text wird so immer innerhalb seines Kontextes interpretiert, das Material wird auch auf seine Entstehung und Wirkung hin untersucht. Ein komplexes Modell in dieser Richtung wird in diesem Kapitel (Kap. 5.3) vorgestellt.

Systematisches, regelgeleitetes Vorgehen

Das systematische Vorgehen der Inhaltsanalyse zu bewahren, stellt ein Hauptanliegen der hier vorgeschlagenen Verfahren dar. Systematik heißt dabei vor

42

allem: Orientierung an vorab festgelegten Regeln der Textanalyse. Dies zeigt sich an mehreren Punkten.

Die Festlegung eines konkreten Ablaufmodells der Analyse ist dabei am zentralsten. Die Inhaltsanalyse ist kein Standardinstrument, das immer gleich aussieht; sie muß an den konkreten Gegenstand, das Material angepaßt sein und auf die spezifische Fragestellung hin konstruiert werden. Dies wird vorab in einem Ablaufmodell festgelegt (Beispiele für solche Modelle finden sich beim Durchblättern dieses Buches in großer Anzahl), die die einzelnen Analyseschritte definieren und in ihrer Reihenfolge festlegen.

Aber auch zusätzlich müssen immer wieder Regeln festgelegt werden. In Kapitel 5 sind solche Regelwerke vorgestellt. Es soll in der Inhaltsanalyse gerade im Gegensatz zu „freier" Interpretation gelten, daß jeder Analyseschritt, jede Entscheidung im Auswertungsprozeß, auf eine begründete und getestete Regel zurückgeführt werden kann.

Schließlich zeigt sich die Systematik der Inhaltsanalyse auch in ihrem zergliedernden Vorgehen. Die Definition von inhaltsanalytischen Einheiten (Kodiereinheit, Kontexteinheit, Auswertungseinheit, vgl. Kap. 5.4) soll prinzipiell auch in der qualitativen Inhaltsanalyse beibehalten werden. Konkret heißt das, vorab sich zu entscheiden, wie das Material angegangen wird, welche Teile nacheinander analysiert werden, welche Bedingungen erfüllt sein müssen, um zu einer Kodierung zu gelangen. Im Prozeß induktiver Kategorienbildung (vgl. Kap. 5.5.2) kann es sinnvoll sein, solche inhaltsanalytischen Einheiten sehr offen zu halten. Trotzdem aber wird auch hier das Vorgehen zergliedernd, von Materialteil zu Materialteil fortschreitend, ablaufen.

Sicherlich ist gerade dieser letzte Punkt von Vertretern qualitativer Ansätze oft kritisiert worden. Latente Sinnstrukturen ließen sich so nicht finden. Darauf kann man entgegnen, daß bei einem solchen Ziel der Analyse die Einheiten eben entsprechend weit definiert werden müssen. Wichtig ist aber, daß solche Einheiten theoretisch begründet werden und festgelegt werden, um anderen Inhaltsanalytikern das Nachvollziehen der Analyse zu ermöglichen. Die Systematik sollte so beschrieben sein, daß ein zweiter Auswerter die Analyse ähnlich durchführen kann.

Kategorien im Zentrum der Analyse

Das Kategoriensystem ist zentraler Punkt in quantitativer Inhaltsanalyse. Aber auch in der qualitativen Inhaltsanalyse soll versucht werden, die Ziele der Analyse in Kategorien zu konkretisieren. Das Kategoriensystem stellt das zentrale Instrument der Analyse dar. Auch sie ermöglichen das Nachvollziehen der Analyse für andere, die Intersubjektivität des Vorgehens.

Qualitative Inhaltsanalyse wird dabei ein besonderes Augenmerk auf die Kategorienkonstruktion und -begründung legen. Hierüber findet man in inhaltsanalytischen Standardwerken herzlich wenig Hilfen. So schreibt Krippendorff: „How categories are defined... is an art. Little is written about it." (Krippendorff, 1980,

p. 76). Das ist natürlich unbefriedigend. Gerade die hier beschriebenen Verfahren (vgl. 5.5.2) können da weiterhelfen.

Auch hier wird von qualitativen Vertretern eingewandt, daß die Orientierung an Kategorien eine analytisch-zergliedernde Vorgehensweise bedeute, die synthetisches Verstehen des Materials behindere. Entgegnen ließe sich, daß auch die qualitative Inhaltsanalyse Verfahren anbietet, bei denen die synthetische Kategorienkonstruktion im Vordergrund steht, also das Kategoriensystem erst das Ergebnis der Analyse darstellt. Andererseits bedeutet gerade das Arbeiten mit einem Kategoriensystem einen entscheidenden Punkt der Vergleichbarkeit der Ergebnisse, der Abschätzung der Reliabilität der Analyse.

Gegenstandsbezug statt Technik

Auf der anderen Seite sollen die Verfahren qualitativer Inhaltsanalyse nicht bloße Techniken sein, die beliebig einsetzbar sind. Die Anbindung am konkreten Gegenstand der Analyse ist ein besonders wichtiges Anliegen.

Das zeigt sich daran, daß die vorgestellten Verfahrensweisen am alltäglichen Umgang mit sprachlichem Material orientiert sind. Die drei Grundverfahren der Zusammenfassung, Explikation und Strukturierung (vgl. Kap. 5.5) sind so begründet, die zusammenfassende Inhaltsanalyse (5.5.2) ist aus alltäglichen Zusammenfassungen abgeleitet. Hieran zeigt sich, daß der Gegenstand im Vordergrund steht. Die Verfahrensweisen sollen nicht als Techniken verstanden werden, die blind von einem Gegenstand auf den anderen übertragen werden können. Die Adäquatheit muß jeweils am Material erwiesen werden. Deshalb werden die hier vorgeschlagenen Verfahren auch immer auf die konkrete Studie hin modifiziert werden müssen.

Überprüfung der spezifischen Instrumente durch Pilot-Studien

Gegen den letzten Punkt könnte man von einem traditionell quantitativ orientierten Wissenschaftsverständnis ausgehend einwenden, daß damit keine Vergleichbarkeit der Verfahrensweisen gewährleistet ist. In qualitativ orientierter Inhaltsanalyse wird jedoch bewußt auf voll-standardisierte Instrumente wegen des Gegenstandsbezuges verzichtet. Dafür müssen die Verfahren in einer Pilotstudie getestet werden.

Dies gilt für die grundlegende Verfahrensweise und für das spezifische Kategoriensystem. In den Ablaufmodellen in Kap. 5 sind diese Schritte bereits durch Rücklaufschleifen enthalten. Wichtig dabei ist, daß die Probedurchläufe auch im Forschungsbericht dokumentiert werden. Auch hier ist wieder die intersubjektive Nachprüfbarkeit zentral.

Theoriegeleitetheit der Analyse

Es ist wohl klar geworden, daß die qualitative Inhaltsanalyse keine feststehende Technik ist, sondern von vielen Festlegungen und Entscheidungen des grundsätzlichen Vorgehens und einzelner Analyseschritte durchwachsen ist. Wonach richten sich diese Entscheidungen?

In qualitativ orientierter Forschung wird immer wieder betont, daß hier theoretische Argumente herangezogen werden müssen. Technische Unschärfen werden durch theoretische Stringenz ausgeglichen. Damit ist vor allem die Explikation der Fragestellung gemeint, aber auch Feinanalysen sind davon betroffen. Mit Theoriegeleitetheit ist gemeint, daß der Stand der Forschung zum Gegenstand und vergleichbaren Gegenstandsbereichen systematisch bei allen Verfahrensentscheidungen herangezogen wird. Inhaltliche Argumente sollten in der qualitativen Inhaltsanalyse immer Vorrang vor Verfahrensargumenten haben; Validität geht vor Reliabilität.

Einbezug quantitativer Analyseschritte

Es ist bereits in Kapitel 3 betont worden, daß eine Integration qualitativer und quantitativer Verfahrensweisen angestrebt wird. Genauer gesagt geht es darum, im Analyseprozeß die Punkte anzugeben, an denen quantitative Schritte sinnvoll eingebaut werden können. Dann sollten sie sorgfältig begründet werden und die Ergebnisse ausführlich interpretiert werden.

Quantitative Analyseschritte werden immer dann besonders wichtig sein, wenn es um eine Verallgemeinerung der Ergebnisse geht. Bei fallanalytischem Vorgehen ist es wichtig, zu zeigen, daß ein bestimmter Fall in ähnlicher Form besonders häufig auftaucht. Aber auch innerhalb inhaltsanalytischer Kategoriensysteme ist mit der Häufigkeit einer Kategorie unter Umständen ihre Bedeutung zu untermauern. Dies muß jedoch jeweils begründet werden. Eine sorgfältig qualitativ begründete Kategorienzuordnung zu einem Material (z. B. durch Strukturierung, vgl. Kap. 5.5.4) kann aber auch durch komplexere statistische Auswertungstechniken ergänzt werden, wenn es das Ziel der Analyse nahelegt und der Gegenstand erlaubt.

Einen besonderen Reiz in diesem Zusammenhang haben die in den letzten Jahren entwickelten Computerprogramme zur Unterstützung qualitativer Analyse (vgl. Kap. 6). Hier werden qualitative und quantitative Analyseschritte jederzeit in einfachster Weise verfügbar; ein integratives Methodenverständnis wird dadurch besonders unterstützt.

Gütekriterien

Gerade weil hier die harten methodischen Standards quantitativer Inhaltsanalyse doch in manchen Punkten aufgeweicht wurden, flexibler gehandhabt werden, ist die Einschätzung der Ergebnisse nach Gütekritierien wie Objektivität, Reliabilität und Validität auch in qualitativer Inhaltsanalyse besonders wichtig (vgl. dazu Kapitel 7).

In der Inhaltsanalyse hat dabei die Interkoder-Reliabilität eine besondere Bedeutung. Mehrere Inhaltsanalytiker werden unabhängig voneinander an dasselbe Material gesetzt, die Ergebnisse ihrer Analysen werden verglichen. Prinzipiell sollte dies bei qualitativer Inhaltsanalyse auch versucht werden, wenn auch negative Ergebnisse nicht zum sofortigen Abbruch der Analyse führen müssen. Auch hier gilt es wieder, Un-Reliabilitäten zu verstehen, zu interpretieren. Besonders in der Pilotphase ist eine solche Suche nach Fehlerquellen besonders wichtig, da sie zu einer Modifikation der Analyseinstrumente führen kann. Also die Analyse begleitende Suche nach Argumenten für Reliabilität und Validität statt ausschließlich einer einmaligen Einschätzung am Ende der Analyse.

In diesem Kapitel wird zunächst in das Beispielmaterial kurz eingeführt, um dann über die Bestimmung des Ausgangsmaterials, die Bestimmung der Richtung der Analyse und der Aufstellung eines allgemeinen Ablaufmodells im folgenden sieben verschiedene Grundtechniken qualitativer Inhaltsanalyse zu entwickeln und vorzuführen.

5.1 Vorstellung des Beispielmaterials

Im Rahmen des DFG-Projektes „Kognitive Kontrolle in Krisensituationen: Arbeitslosigkeit bei Lehrern" (vgl. Ulich et al. 1985) wurden offene Interviews mit arbeitslosen Lehrern durchgeführt. Wie erlebt der einzelne diese Situation, welche Belastungen verspürt er in welchen Bereichen, wie schätzt er seine Situation ein, wie verarbeitet er sie, und welche Bewältigungsversuche unternimmt er? Diese Fragen wurden an einer Stichprobe von 75 arbeitslosen Lehrern zu beantworten versucht, die über ein Jahr hinweg jeweils siebenmal interviewt werden. Die Belastungs-, Verarbeitungs- und Bewältigungsverläufe sollten auch in bezug auf die bisherigen biographischen Erfahrungen des einzelnen rekonstruiert werden. Hier werden auch Fragen gestellt über den Auszug von zu Hause, die ersten Berufserfahrungen als Lehrer während der praktischen Ausbildungsphase, des Referendariates und über die Erfahrungen mit der Abschlußprüfung, dem Zweiten Staatsexamen.

Die Interviews wurden mit Tonband aufgenommen und dann in maschinengeschriebene Form transkribiert. Diese Protokolle haben einen Umfang von über 20.000 Seiten und wurden mit inhaltsanalytischen Verfahren ausgewertet.

Aus dem Interviewteil über das Referendariat sollen nun vier Beispiele herangezogen werden, die als Anhang beigefügt sind.

5.2 Bestimmung des Ausgangsmaterials

Die Inhaltsanalyse ist eine Auswertungsmethode, d.h., sie hat es mit bereits fertigem sprachlichen Material zu tun. Um zu entscheiden, was überhaupt aus dem Material herausinterpretierbar ist, muß am Anfang eine genaue Analyse dieses Ausgangsmaterials stattfinden. Dies in den Geschichtswissenschaften als Quellenkunde oder Quellenkritik bekannte Vorgehen, wird allzu häufig bei Inhaltsanalysen übergangen.

Im wesentlichen sind hier drei Analyseschritte zu unterscheiden:

1. Festlegung des Materials

Zunächst muß genau definiert werden, welches Material der Analyse zugrunde-liegen soll. Dieser „Corpus" sollte nur unter bestimmten begründbaren Notwen-digkeiten während der Analyse erweitert oder verändert werden.

In vielen Fällen muß hier eine Auswahl aus einer größeren Materialmenge getroffen werden. Damit treten Probleme der *Stichprobenziehung* in den Vorder-grund (vgl. dazu Friedrichs 1973; Lisch 1978a). Dabei sind zu beachten:

- daß die Grundgesamtheit, über die Aussagen gemacht werden soll, genau definiert wird;
- daß der Stichprobenumfang nach Repräsentativitätsüberlegungen und ökono-mischen Erwägungen festgelegt wird;
- daß schließlich die Stichprobe nach einem bestimmten Modell gezogen wird (reine Zufallsauswahl; Auswahl nach vorher festgelegten Quoten; geschichtete oder gestufte Auswahl).

2. Analyse der Entstehungssituation

Es muß genau beschrieben werden, von wem und unter welchen Bedingungen das Material produziert wurde. Dabei interessiert vor allem:

- der Verfasser bzw. die an der Entstehung des Materials beteiligten Interagenten;
- der emotionale, kognitive und Handlungshintergrund des/der Verfasser(s);
- die Zielgruppe, in deren Richtung das Material verfaßt wurde;
- die konkrete Entstehungssituation;
- der sozio-kulturelle Hintergrund.

3. Formale Charakteristika des Materials

Schließlich muß beschrieben werden, in welcher Form das Material vorliegt. In aller Regel benötigt die Inhaltsanalyse als Grundlage einen niedergeschriebenen Text. Dieser Text muß aber nicht vom Autor selbst verfaßt sein. Oft werden in den der Analyse zugrunde gelegten *„Basistext"* weitere Informationen mit aufgenom-men. Dies ist vor allem bei gesprochener Sprache üblich, wenn z.B. bei Interviews oder Gruppendiskussionen oft auch Beobachtungsdaten in das Protokoll aufge-nommen werden. Die gesprochene Sprache, meist auf Tonband aufgenommen, muß zu einem geschriebenen Text *transkribiert* werden. Dafür gibt es verschie-dene Transkriptionsmodelle (vgl. Ehlich/Switalla 1976), die das Urmaterial be-reits erheblich verändern können. Diese Protokollierungsregeln müssen genau festgelegt sein.

Diese drei Schritte sollen nun am Beispielmaterial verdeutlicht werden.

Beispiel:

1. Festlegung des Materials

Bei den ausgewählten Protokollstellen aus dem DFG-Projekt „Lehrerarbeitslosig-keit" handelt es sich um vier Fallbeispiele aus dem ersten Untersuchungsblock und jeweils dem ersten Erhebungszeitpunkt. Es ist jeweils die Interviewpassage ausge-wählt worden, in der nach den ersten Praxiserfahrungen in der Referendarzeit gefragt wurde. Bei dieser Auswahl stand vor allem die Anschaulichkeit des Materials im Vordergrund; sie kann nicht als repräsentativ gelten.

Im einzelnen handelt es sich um:

Fall A: Gymnasiallehrer Physik/Erdkunde
Fall B: Gymnasiallehrer Sport/Erdkunde
Fall C: Gymnasiallehrer Sport/Erdkunde
Fall D: Gymnasiallehrerin Englisch/Geschichte

Alle vier haben das Staatsexamen bestanden, wurden aber aufgrund des Mangels an Planstellen vom Staat nicht eingestellt. Die Interviewteilnehmer wurden vor allem durch „Mund-zu-Mund-Propaganda" gewonnen und von dem Interviewer direkt angesprochen.

2. Analyse der Entstehungssituation

Die Teilnahme an den Interviews war freiwillig. Eine gewisse Gegenseitigkeit wurde dadurch hergestellt, daß die Interviewer ihrerseits in einer Beratungsmappe gesammelte Informationen über Anstellungschancen, Bewerbungsmöglichkeiten, alternative Berufsfelder u.ä. den arbeitslosen Lehrern zur Verfügung stellten. Bei den Gesprächen handelt es sich um *halb-strukturierte* (d.h. der Interviewer hat einen Leitfaden mit Fragen, deren konkrete Formulierung und Reihenfolge er jedoch variieren kann) und *offene* (d.h. der Interviewpartner kann auf die Fragen frei antworten) Interviews. Die Interviews wurden im Rahmen des DFG-Projektes vom Autor durchgeführt. Sie fanden bei den Interviewten zu Hause statt.

3. Formale Charakteristika des Materials

Die Interviews wurden mit Tonband aufgenommen und daraufhin in maschinegeschriebene Form transkribiert. Dabei war folgende Transkriptionsanweisung vorgeschrieben:

DFG-Parojekt 'Lehrerarbeitslosigkeit'
Inst.für Empirische Pädagogik, Uni München

HINWEISE ZUR INTERVIEWTRANSKRIPTION

—60 Anschläge pro Zeile—

etwas kleinerer Abstand zum Lochen

etwas größerer Abstand für Kodier-zeichen

38 Zeilen Zeilenabstand 1 ½

+ Bitte vollständig und wörtlich transkribieren (Unvoll-
  ständkgkeiten und Wiederholungen bgelassen).

+ Allerdings steht der Inhalts im Vordergrund; 'äh' und
  Ähnlicheds kann weggelassen werden; Dialektfärbungen
  werden eingedeutscht (zerscht = zuerst; miaßn = müssen)
  Echte Dialektausdrücke jedoch bleiben und werden nach
  Gehör geschrieben.

+ Bei Un_klärheiten bitte Punkte machen (......), je nach
  der Länge dessen, was nicht verstanden wurde, sodaß die
  Interviewer das nachtragen können.

+ Bei Pausen. Stockungen u.ä. Gedankenstrich verwenden
  (–), bei längeren Pausen mehrere Gedankenstriche.
  A6 Wenn der Grund der Pause ersichtlich ist. ihn bitte in
  Klammern angeben).

+ Auch andere Auffälligkeiten wie Lachen, auffälliges
  Räuspern o.ä. in Klammern angeben.

+ Alle anderen nonverbalen Merkmale, die zu inhaltlichen
  Verständnis wichtig sind, ebenso in Klammern, z.B.:
  L: Mhm (zustimmend)

+ Bei Tippfehlern bitte einfach Durchixen [abe), kein
  Täipp-Ex o.ä.

+ Wir benötigen das Orginal mit zwei Durchschlägen, das
  Material liegt bei uns.

+ Das Format ist ▶ 60 Anschläge pro Zeile, Zeilenabstand 1 1/2, 38 Zeilen pro Seite,vgl. eingerahmten Teil

+ Wenn der Interviewer eine Frage stellt bzw. redet,
  bitte das Symbol 'F' (für Frage) ganz an den Rand, danach Doppelpunkt und zwei Pausen, wenn mehr als eine
  Zeile gesprochen wird. bitte wieder ganz am Rand anfan-
  gen.

+ Wenn der Interviewte, aülso der arbeitslose Lehrer
  spricht, bitte dasw Symbol 'L' (für Lehrer) verwenden.

F3 xxxxxxxxxxxx   xxx   xxxxxxxxxx xxx xxxxx xxx

xxxxxxx xxx   xxxxx x.

L: Xxxxxx xxxxx.

+ Bei allen weiteren Fragen stehen wir immer zur Verfügung.
  Wir hoffen auf gute Zusammenarbeit.

Abb. 5: Hinweise zur Interviewtranskription im DFG-Projekt ‚Lehrerarbeitslosigkeit'

5.3 Fragestellung der Analyse

Wenn man auf diese Weise das Ausgangsmaterial beschrieben hat, so ist der nächste Schritt, sich zu fragen, was man eigentlich daraus herausinterpretieren möchte. Ohne spezifische Fragestellung, ohne die Bestimmung der Richtung der Analyse ist keine Inhaltsanalyse denkbar. Man kann einen Text nicht „einfach so" interpretieren. Die Bestimmung der Fragestellung läßt sich nun in zwei Schritte untergliedern:

1. Richtung der Analyse

Von sprachlichem Material ausgehend lassen sich Aussagen in ganz verschiedene Richtungen machen. Man kann den im Text behandelten Gegenstand beschreiben, man kann etwas über den Textverfasser oder die Wirkungen des Textes bei der Zielgruppe herausfinden. Dies muß vorab bestimmt werden. Sehr hilfreich dafür ist es, den Text als Teil einer Kommunikationskette zu begreifen, ihn in ein *inhaltsanalytisches Kommunikationsmodell* einzuordnen. Durch die Lasswell'sche Formel zur Analyse von Kommunikation: „Wer sagt was, mit welchen Mitteln, zu wem, mit welcher Wirkung?" ist hier ein Ansatzpunkt gegeben. Als einfaches Kommunikationsmodell läßt sich daraus aufstellen (Lagerberg 1975):

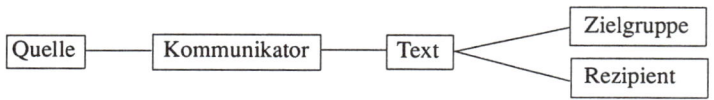

Abbildung 6: Einfaches inhaltsanalytisches Kommunikationsmodell (Lagerberg 1975)

Dieses Modell muß jedoch aufgrund des in den vorangegangenen Kapiteln Erarbeiteten (vgl. Kap. 5.2: Bestimmung des Ausgangsmaterials) erweitert werden (Abb. 7).

Nach diesem Modell kann man nun ganz verschiedene Richtungen einer Inhaltsanalyse unterscheiden:

– Es soll etwas über den Gegenstand ausgesagt werden vor allem bei Dokumentenanalysen.
– Inhaltsanalysen in der Psychotherapie wollen meist etwas über den emotionalen Zustand des Kommunikators erfahren.
– In der Literaturwissenschaft soll meist nur der Text für sich analysiert werden, wobei der sozio-kulturelle Hintergrund als Kontext gilt.
– Die amerikanische Propagandaforschung während des Zweiten Weltkrieges wollte durch Inhaltsanalysen die Intentionen des Kommunikators erfahren.
– Die Analyse von Massenmedien strebt oft Aussagen über deren Wirkungen beim Publikum, also der Zielgruppe an.

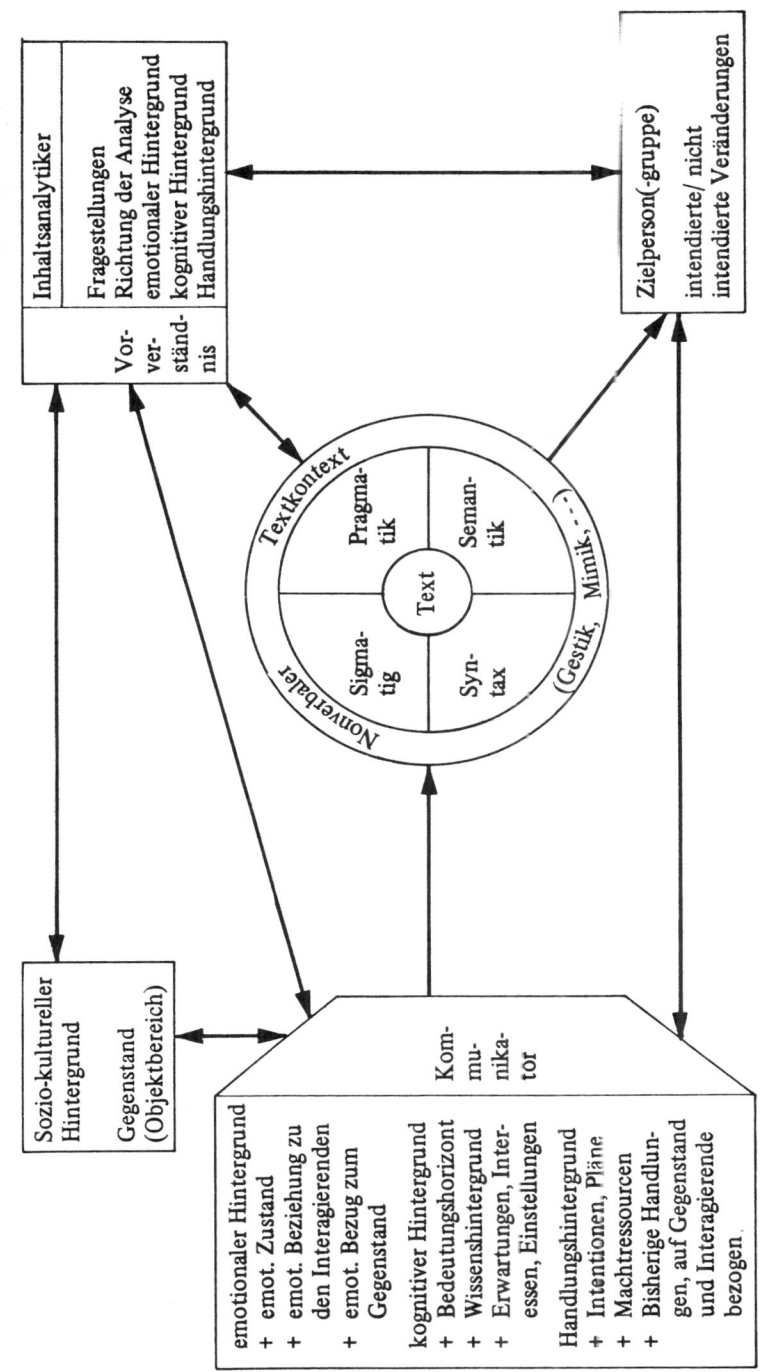

Abbildung 7: Inhaltsanalytisches Kommunikationsmodell

51

2. Theoriegeleitete Differenzierung der Fragestellung

Inhaltsanalyse, so wurde bei der Begriffsbestimmung festgehalten, zeichnet sich durch zwei Merkmale aus: die Regelgeleitetheit (darauf wird im nächsten Schritt eingegangen) und die *Theoriegeleitetheit* der Interpretation. Dies drückt sich zunächst dadurch aus, daß die Analyse einer präzisen theoretisch begründeten inhaltlichen Fragestellung folgt. Dabei muß zunächst etwas über den Begriff der Theoriegeleitetheit gesagt werden, da sich vor allem innerhalb qualitativer Ansätze immer wieder eine gewisse Theoriefeindlichkeit breitmacht. Theorien, so wird häufig gesagt, würden das Material verzerren, den Blick zu sehr einengen, würden ein „Eintauchen in das Material" behindern. Begreift man jedoch Theorie als System allgemeiner Sätze über den zu untersuchenden Gegenstand, so stellt sie nichts anderes als die geronnenen Erfahrungen anderer über diesen Gegenstand dar. Theoriegeleitetheit heißt nun, an diese Erfahrungen anzuknüpfen, um einen Erkenntnisfortschritt zu erreichen.

Das bedeutet nun konkret, daß die Fragestellung der Analyse vorab genau geklärt sein muß, theoretisch an die bisherige Forschung über den Gegenstand angebunden und in aller Regel in Unterfragestellungen differenziert werden muß. Für unser Beispiel heißt dies folgendes:

Beispiel

1. Richtung der Analyse

Das Projekt, aus dem Material stammt, ist entwicklungspsychologisch ausgerichtet. Durch die Interviews sollen die Probanden dazu angeregt werden, über ihr gegenwärtiges Befinden, über die kognitive Verarbeitung ihrer Situation, über ihre bisherigen Handlungen und Handlungspläne zur Bewältigung der Situation und über die eigenen biographischen Erfahrungen zu berichten. Nach dem inhaltsanalytischen Kommunikationsmodell (vgl. Abb. 7) ist die Richtung der Analyse also, durch den Text Aussagen über den emotionalen, kognitiven und Handlungshintergrund der Kommunikatoren zu machen.

2. Theoriegeleitete Differenzierung der Fragestellung

Das Beispielmaterial enthält Aussagen von vier arbeitslosen Lehrern über ihre Erfahrungen in der Referendarzeit ihrer Lehrerausbildung. Die bisherige Literatur über die Lehrerausbildung spricht davon, daß diese Zeit für den zuvor an der Universität fast ausschließlich theoretisch ausgebildeten Lehrer durch die Konfrontation mit der Schulwirklichkeit einen „Praxisschock" (vgl. Koch 1972; Müller-Fohrbrodt u.a. 1978; Dann u.a. 1978; Dann u.a. 1981) oder „Praxisdruck" (Hänsel 1976) bedeutet. Dies geht einher mit einem Einstellungswandel in Richtung einer eher kontrollierenden, disziplinierenden und autoritären Haltung gegenüber Schülern, einem Begabungsbegriff mit Betonung der erblich begrenzten Förderbarkeit von Schülern, einer erhöhten Straf- und Druckorientierung gegenüber den Schülern und einem verringerten beruflichen Engagement.

In diesem Zusammenhang ist es nun von Interesse, ob die Erfahrungen *arbeitsloser* Lehrer ähnlich sind. Vor allem inwieweit ihr Interesse am Lehrerberuf beeinflußt wird (vgl. Haußer/Mayring 1982) und wie sich das auf das Umgehen mit der eigenen Arbeitslosigkeit auswirkt, wurde im DFG-Projekt untersucht.

Weiterhin wurde analysiert, ob diese Erfahrungen die generalisierte Kontrollerwartung (vgl. Rotter 1966), das Selbstvertrauen des einzelnen beeinflußt und Auswirkungen auf seine jetzigen Bewältigungshandlungen haben.

Daraus ergeben sich nun zwei Hauptfragestellungen für das Beispielmaterial:

Fragestellung 1:	Was sind die hauptsächlichen Erfahrungen der Arbeitslosen Lehrer mit dem „Praxisschock"?
Fragestellung 2:	Welche Beeinflussung des Selbstvertrauens läßt sich aus diesen Erfahrungen schließen?

5.4 Ablaufmodell der Analyse

Im nächsten Schritt geht es nun darum, die spezielle(n) Analysetechnik(en) festzulegen (darauf wird im folgenden Kapitel eingegangen) und ein Ablaufmodell der Analyse aufzustellen. Eben darin besteht die Stärke der qualitativen Inhaltsanalyse gegenüber anderen Interpretationsverfahren, daß die Analyse in einzelne Interpretationsschritte zerlegt wird, die vorher festgelegt werden. Dadurch wird sie für andere nachvollziehbar und intersubjektiv überprüfbar, dadurch wird sie übertragbar auf andere Gegenstände, für andere benutzbar, wird sie zur wissenschaftlichen Methode.

Das Ablaufmodell der Analyse muß zwar im konkreten Fall an das jeweilige Material und die jeweilige Fragestellung angepaßt werden, es läßt sich jedoch ein allgemeines Modell zur Orientierung aufstellen. In diesem Modell werden die bisher besprochenen fünf Analyseschritte am Anfang stehen. Dann folgt die Festlegung des Ablaufmodells und der konkreten Analysetechnik(en), auf die der nächste Punkt eingehen wird. Dabei werden zunächst, um die Präzision der Inhaltsanalyse zu erhöhen, *Analyseeinheiten* festgelegt:

- Die *Kodiereinheit* legt fest, welches der kleinste Materialbestandteil ist, der ausgewertet werden darf, was der minimale Textteil ist, der unter eine Kategorie fallen kann.
- Die *Kontexteinheit* legt den größten Textbestandteil fest, der unter eine Kategorie fallen kann.
- Die *Auswertungseinheit* legt fest, welche Textteile jeweils nacheinander ausgewertet werden.

Vor allem für quantitative Analyseschritte ist die Definition dieser Einheiten wichtig.

Die speziellen Techniken sind wiederum in einzelne Analyseschritte untergliedert. Im Zentrum steht dabei immer die Entwicklung eines *Kategoriensystems*.

Diese Kategorien werden in einem Wechselverhältnis zwischen der Theorie (der Fragestellung) und dem konkreten Material entwickelt, durch Konstruktions- und Zuordnungsregeln definiert und während der Analyse überarbeitet und *rücküberprüft*.

In die einzelnen Techniken können auch quantitative Analyseschritte eingebaut werden.

Schließlich werden die Ergebnisse in Richtung der Hauptfragestellung interpretiert und die Aussagekraft der Analyse anhand der inhaltsanalytischen Gütekriterien eingeschätzt.

Daraus ergibt sich nun folgendes allgemeines Ablaufmodell:

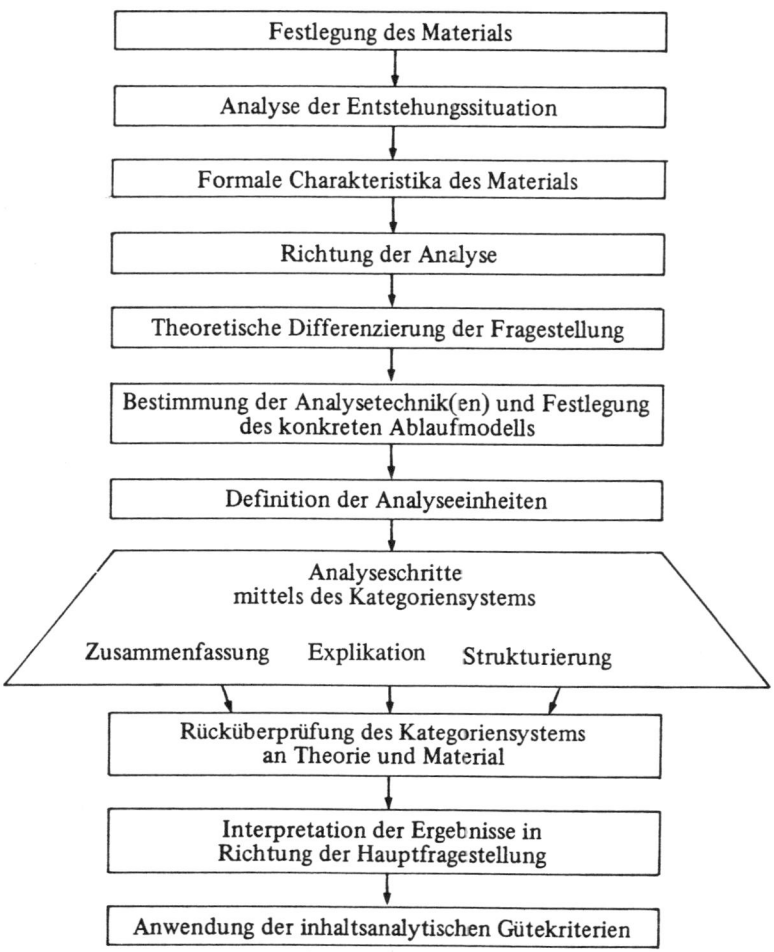

```
┌─────────────────────────────────────────────┐
│          Festlegung des Materials             │
└─────────────────────────────────────────────┘
                     │
                     ▼
┌─────────────────────────────────────────────┐
│        Analyse der Entstehungssituation       │
└─────────────────────────────────────────────┘
                     │
                     ▼
┌─────────────────────────────────────────────┐
│       Formale Charakteristika des Materials    │
└─────────────────────────────────────────────┘
                     │
                     ▼
┌─────────────────────────────────────────────┐
│            Richtung der Analyse                │
└─────────────────────────────────────────────┘
                     │
                     ▼
┌─────────────────────────────────────────────┐
│   Theoretische Differenzierung der Fragestellung│
└─────────────────────────────────────────────┘
                     │
                     ▼
┌─────────────────────────────────────────────┐
│ Bestimmung der Analysetechnik(en) und Festlegung│
│        des konkreten Ablaufmodells             │
└─────────────────────────────────────────────┘
                     │
                     ▼
┌─────────────────────────────────────────────┐
│        Definition der Analyseeinheiten         │
└─────────────────────────────────────────────┘
                     │
                     ▼
        Analyseschritte
     mittels des Kategoriensystems

  Zusammenfassung   Explikation   Strukturierung
                     │
                     ▼
┌─────────────────────────────────────────────┐
│      Rücküberprüfung des Kategoriensystems     │
│           an Theorie und Material              │
└─────────────────────────────────────────────┘
                     │
                     ▼
┌─────────────────────────────────────────────┐
│       Interpretation der Ergebnisse in         │
│       Richtung der Hauptfragestellung          │
└─────────────────────────────────────────────┘
                     │
                     ▼
┌─────────────────────────────────────────────┐
│  Anwendung der inhaltsanalytischen Gütekriterien│
└─────────────────────────────────────────────┘
```

Abbildung 8: Allgemeines inhaltsanalytisches Ablaufmodell

Nun wieder zu unserem Beispiel:

Beispiel:

Das Ablaufmodell der Beispielanalyse, anhand deren die verschiedenen Techniken im nächsten Kapitel demonstriert werden sollen, wurde in den ersten Abschnitten dieses Kapitels bereits ausgeführt; es wird dann bei der Beschreibung der einzelnen Techniken fortgesetzt. So soll nun hier das Auswertungsmodell des Gesamtprojektes, aus dem das Beispielmaterial stammt, vorgestellt werden (vgl. Ulich u.a. 1985). Dabei handelt es sich im Hauptast um eine strukturierende Inhaltsanalyse (vgl. Kap. 5.5.4), in die quantitative Schritte, bis hin zur statistischen Verarbeitung mittels EDV, eingebaut sind. Daneben werden aber auch andere rein qualitative inhaltsanalytische Techniken bei der Analyse nicht-systematisch ausgewerteter Aspekte zum Einsatz kommen.

54

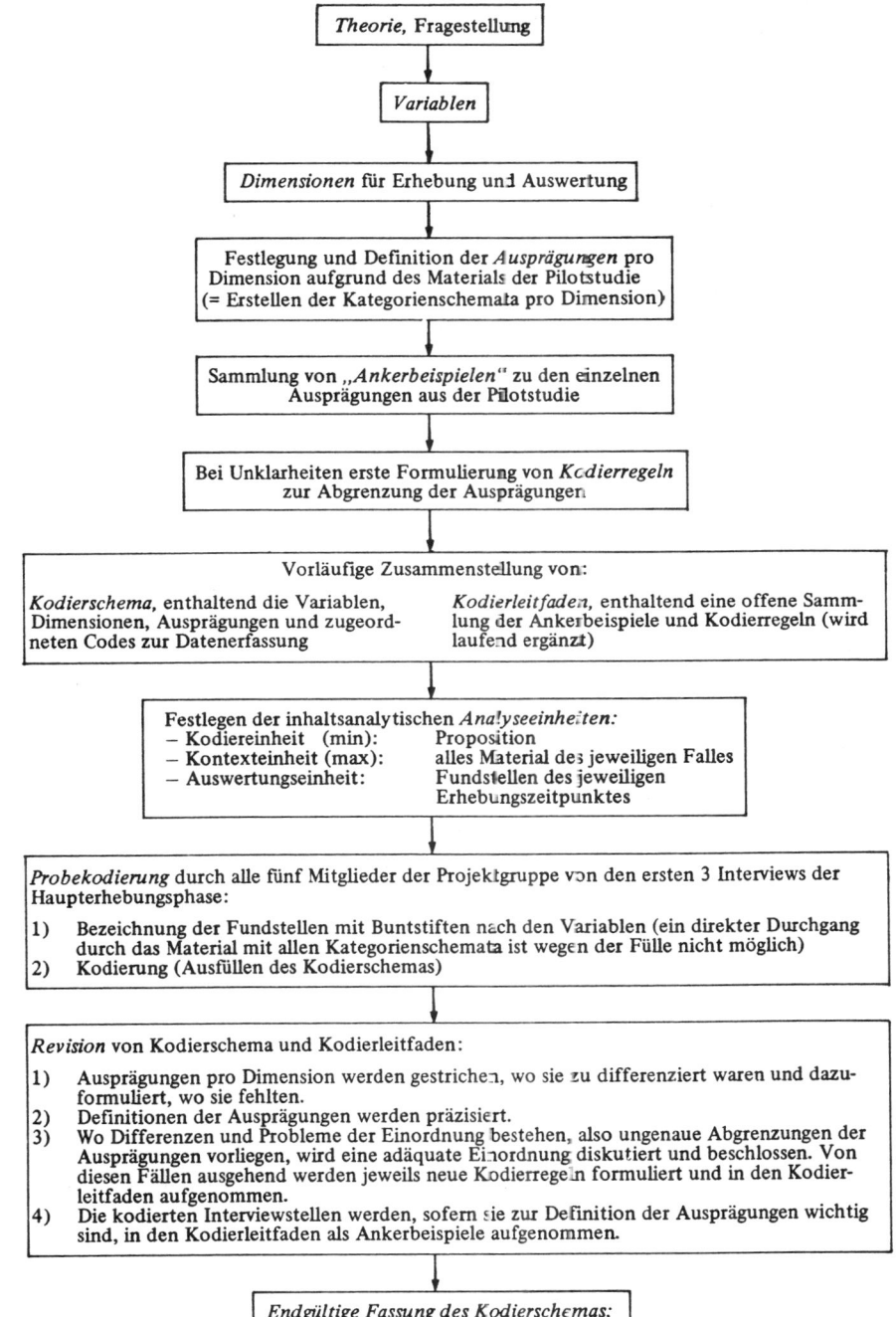

Theorie, Fragestellung

Variablen

Dimensionen für Erhebung und Auswertung

Festlegung und Definition der Ausprägungen pro
Dimension aufgrund des Materials der Pilotstudie
(= Erstellen der Kategorienschemata pro Dimension)

Sammlung von „Ankerbeispielen" zu den einzelnen
Ausprägungen aus der Pilotstudie

Bei Unklarheiten erste Formulierung von Kodierregeln
zur Abgrenzung der Ausprägungen

Vorläufige Zusammenstellung von:

Kodierschema, enthaltend die Variablen, | Kodierleitfaden, enthaltend eine offene Samm-
Dimensionen, Ausprägungen und zugeord- | lung der Ankerbeispiele und Kodierregeln (wird
neten Codes zur Datenerfassung | laufend ergänzt)

Festlegen der inhaltsanalytischen Analyseeinheiten:
— Kodiereinheit (min): Proposition
— Kontexteinheit (max): alles Material des jeweiligen Falles
— Auswertungseinheit: Fundstellen des jeweiligen
Erhebungszeitpunktes

Probekodierung durch alle fünf Mitglieder der Projektgruppe von den ersten 3 Interviews der
Haupterhebungsphase:

1) Bezeichnung der Fundstellen mit Buntstiften nach den Variablen (ein direkter Durchgang
durch das Material mit allen Kategorienschemata ist wegen der Fülle nicht möglich)
2) Kodierung (Ausfüllen des Kodierschemas)

Revision von Kodierschema und Kodierleitfaden:

1) Ausprägungen pro Dimension werden gestrichen, wo sie zu differenziert waren und dazu-
formuliert, wo sie fehlten.
2) Definitionen der Ausprägungen werden präzisiert.
3) Wo Differenzen und Probleme der Einordnung bestehen, also ungenaue Abgrenzungen der
Ausprägungen vorliegen, wird eine adäquate Einordnung diskutiert und beschlossen. Von
diesen Fällen ausgehend werden jeweils neue Kodierregeln formuliert und in den Kodierleitfaden aufgenommen.
4) Die kodierten Interviewstellen werden, sofern sie zur Definition der Ausprägungen wichtig
sind, in den Kodierleitfaden als Ankerbeispiele aufgenommen.

Endgültige Fassung des Kodierschemas;
Vervielfältigung

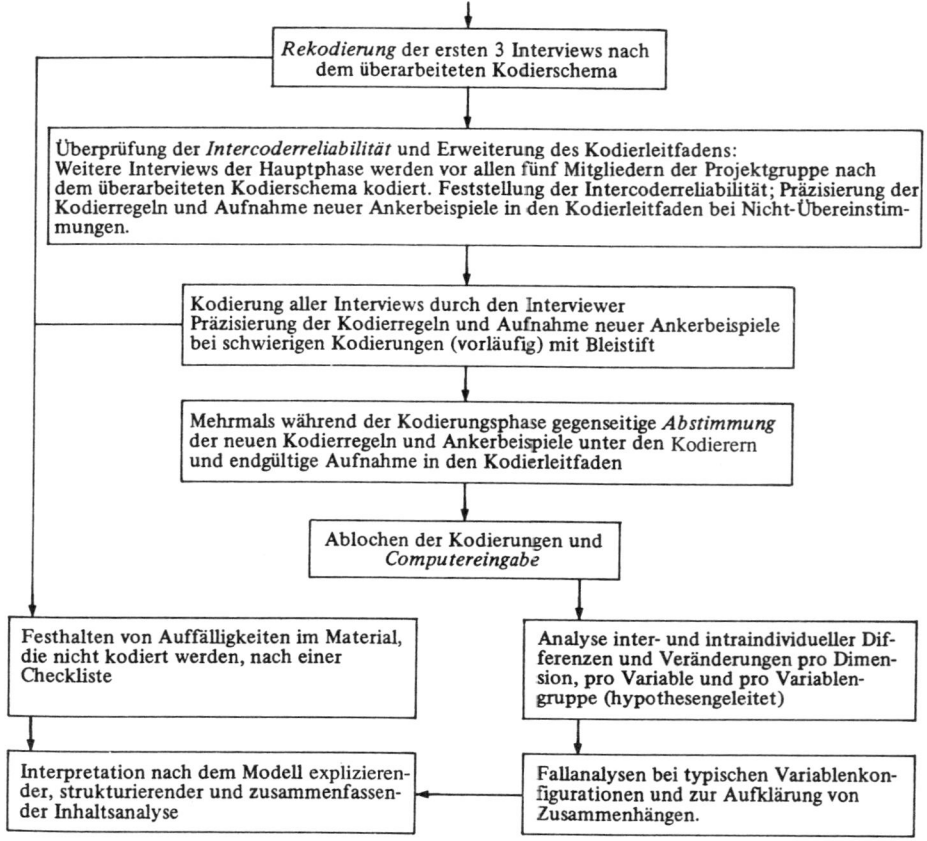

Abbildung 9: *Auswertungsmodell DFG-Projekt ‚Lehrerarbeitslosigkeit' (gekürzt)*

5.5 Spezielle qualitative Techniken

Ziel ist es, Techniken qualitativer Inhaltsanalysen als grundsätzliche Vorgehensweisen systematischen, das heißt theoriegeleiteten und regelgeleiteten Textverstehens und Textinterpretierens zu beschreiben. Der Ansatzpunkt dazu soll sein, bisherige Arten des alltäglichen wie auch wissenschaftlichen Umganges mit Texten auf ihre *Grundstruktur* hin zu überprüfen. Gerade dies wird ja von quantitativen Techniken vernachlässigt, indem sie fertige Prozeduren auf das Material anwenden, ohne deren implizite Vorannahmen zu überprüfen. So muß hier auch der Ansatzpunkt qualitativer Analyse sein.

5.5.1 Grundformen des Interpretierens

Ich möchte beginnen mit den Techniken, die hier bisher beschrieben worden sind. Es soll jeweils herausgestellt werden, was mit dem Material durch die Analyse geschieht, was die Leistung der Interpretation ist. Diese Charakterisierungen der Interpretationsart sollen dann in grundlegende Interpretationsvorgänge klassifiziert werden.

56

In der folgenden Tabelle sind also nun die in dieser Arbeit konkret beschriebenen Analyseformen (mit Seitenzahl) angeführt, in der mittleren Spalte in ihrer Interpretationsart charakterisiert und in der letzten Spalte auf ihren grundsätzlichen Interpretationsvorgang hin (Grundform des Interpretierens) reduziert.

S.	Analyse	Charakterisierung	Grundform
13	Häufigkeits-analysen	– Herausfiltern bestimmter Textbestandteile durch Kategoriensystem; – Aussagen über relatives Gewicht dieser Textbestandteile per Häufigkeit;	Strukturierung Zusammenfassung
15	Valenz- und Intensitäts-analyse	– Herausfiltern bestimmter Textbestandteile durch Kategoriensystem; – Einschätzung (Skalierung) aufgrund des Kontextes; – Zusammenfassung der Einschätzungen;	Strukturierung Zusammenfassung
15	Kontingenz-analysen	– Herausfiltern bestimmter Textbestandteile durch Kategoriensystem; – Herausarbeiten einer Struktur durch häufige Kontingenzen; – Erklärung einzelner Textbestandteile durch Kontingenzen;	Strukturierung Zusammenfassung Explikation
18 21	Vertiefungen Einzelfallstudien	– Erklärung einzelner Textteile durch Kontext und weitergehende Interpretation;	Explikation
22	Klassifizierungen	– Strukturierung des Materials nach bestimmten Ordnungsgesichtspunkten	Strukturierung
26	Qualitative Inhaltsanalyse (RUST)	– Analyse der Struktur durch Figuren semantischer Einheiten	Strukturierung
27	Hermeneutik	– Textimmanente und koordinierende Interpretation durch Analyse einzelner Textbestandteile, Strukturierungen und Einschätzungen	Explikation Strukturierung
29	Qualitative Sozialforschung	– Analyse komplexer Deutungssysteme im sozialen Kontext und Handlungskontext	Explikation Strukturierung
31	Qualitative Inhaltsanalyse (HEINZE)	– Rekonstruktion und theoriegeleitete Gewichtung von Interpretationsmustern;	Strukturierung
32	Objektive Hermeneutik	– Explikation einzelner Interakte (Kontext, Intention, objektive Motive und Konsequenzen, Funktionen); – Herausfiltern durchgängiger Kommunikationsfiguren; – Verallgemeinerung;	Explikation Strukturierung
34	Strukturale Semantik (GREISMAS)	– Explikation der Bedeutung einzelner Textbestandteile durch Zergliederung in kleinste Bedeutungseinheiten	Explikation
36	Strukturale Textanalyse (TITZMANN)	– Semantische Analyse (s.o.); – Klassenbildung	Explikation Strukturierung
37	Pragmatische Analyse (WIEDEMANN)	– Rekonstruktion von Dialogstrukturen; – Zuordnung zu Taxonomie;	Strukturierung
38	Psychologie der Textverarbeitung	– Reduktive Prozesse der Zusammenfassung	Zusammenfassung

In dieser Übersicht läßt sich nun sehr schön sehen, daß die bisherigen Techniken systematischer Interpretation von sprachlichem Material in ihrer Grundstruktur gar nicht so verschieden sind, daß sie sich auf einige Grundtechniken zurückführen lassen. Es wird meist bei bestimmten Textbestandteilen angesetzt, die genauer analysiert werden (z.B. über ihren Textkontext), in eine bestimmte Richtung bewertet werden, in Beziehung zu anderen Textbestandteilen gebracht werden (meist um

Textstrukturen zu konstruieren) und oft soll irgendeine Art von Zusammenfassung des Materials erreicht werden.

Aus den Charakterisierungen des Interpretationsvorganges in der mittleren Spalte, aber auch aus Überlegungen über den alltäglichen Umgang mit sprachlichem Material scheinen mir dabei *drei Grundformen des Interpretierens* differenzierbar: Zusammenfassung, Explikation und Strukturierung. Die in der Tabelle zusammengestellten Techniken lassen sich sehr gut auf diese Grundformen zurückführen (vgl. rechte Spalte). Sie lassen sich ganz allgemein wie folgt beschreiben:

Zusammenfassung: Ziel der Analyse ist es, das Material so zu reduzieren, daß die wesentlichen Inhalte erhalten bleiben, durch Abstraktion einen überschaubaren Corpus zu schaffen, der immer noch Abbild des Grundmaterials ist.

Explikation: Ziel der Analyse ist es, zu einzelnen fraglichen Textteilen (Begriffen, Sätzen, ...) zusätzliches Material heranzutragen, das das Verständnis erweitert, das die Textstelle erläutert, erklärt, ausdeutet.

Strukturierung: Ziel der Analyse ist es, bestimmte Aspekte aus dem Material herauszufiltern, unter vorher festgelegten Ordnungskriterien einen Querschnitt durch das Material zu legen oder das Material aufgrund bestimmter Kriterien einzuschätzen.

Diese drei Grundformen des Interpretierens entsprechen auch dem Alltagsverständnis davon, welche grundsätzlichen Wege man einschlagen kann, um ein zunächst unbekanntes (sprachliches) Material zu analysieren. Dazu möchte ich ein kleines Gedankenexperiment anstellen:

Man stelle sich vor, auf einer Wanderung plötzlich vor einem gigantischen Felsbrocken (vielleicht ein Meteorit?) zu stehen. Ich möchte wissen, was ich da vor mir habe. Wie kann ich dabei vorgehen?

Zunächst würde ich zurücktreten, auf eine nahe Anhöhe steigen, von wo ich einen Überblick über den Felsbrocken bekomme. Aus der Entfernung sehe ich zwar nicht mehr die Details, aber ich habe das „Ding" als Ganzes in groben Umrissen im Blickfeld, praktisch in einer verkleinerten Form *(Zusammenfassung)*.

Dann würde ich wieder herantreten und mir bestimmte besonders interessant erscheinende Stücke genauer ansehen. Ich würde mir einzelne Teile herausbrechen und untersuchen *(Explikation)*.

Schließlich würde ich versuchen, den Felsbrocken aufzubrechen, um einen Eindruck von seiner inneren Struktur zu bekommen. Ich würde versuchen, einzelne Bestandteile zu erkennen, den Brocken zu vermessen, seine Größe, seine Härte, sein Gewicht durch verschiedene Meßoperationen feststellen *(Strukturierung)*.

Natürlich sind auch die verschiedensten Mischformen dieser Analysearten denkbar, aber die Entwicklung qualitativer Techniken soll zunächst an den grundsätzlichen Interpretationsformen ansetzen.

Zwei dieser Grundformen müssen jedoch noch differenziert werden, bevor eine genaue Ablaufbeschreibung möglich ist. Bei den Explikationen sind Formen denkbar, die zur Erläuterung einer Textstelle auf den Textkontext zurückgreifen *(enge Kontextanalyse)*; die häufigste Art vor allem hermeneutischer Interpretation ist jedoch, noch weiteres Material über den Textkontext hinaus zur Explikation zuzulassen *(weite Kontextanalyse)*.

Auch bei den Strukturierungen sind verschiedene Untergruppen zu unterscheiden.

58

Nach formalen Strukturierungsgesichtspunkten kann eine innere Struktur herausgefiltert werden *(formale Strukturierung)*; es kann Material zu bestimmten Inhaltsbereichen extrahiert und zusammengefaßt werden *(inhaltliche Strukturierung)*; man
kann auf einer Typisierungsdimension nach einzelnen markanten Ausprägungen im
Material suchen und diese genauer beschreiben *(typisierende Strukturierung)*;
schließlich kann das Material nach Dimensionen in Skalenform eingeschätzt werden
(skalierende Strukturierung).

Durch diese Differenzierung sind nun sieben verschiedene Analyseformen entstanden:

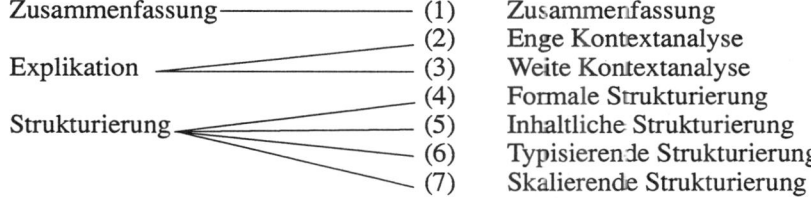

Dieser Katalog qualitativer Analysetechniken versteht sich als eine erste Annäherung und erhebt keinen Anspruch auf Vollständigkeit. Er kann aber Ausgangspunkt
für systematische Erprobung und Weiterentwicklung sein.

Qualitative Inhaltsanalyse will nun diese sieben Analyseformen durch Differenzierung in einzelne Analyseschritte und Formulierung von Interpretationsregeln zu
systematischen inhaltsanalytischen Techniken entwickeln. Dies soll nacheinander
geschehen und anhand des Beispieles verdeutlicht werden.

5.5.2 Erste qualitative Technik: Zusammenfassung

Bei der Entwicklung einzelner Analyseschritte der Zusammenfassung kann man sich
am stärksten auf Vorarbeiten stützen. Die Psychologie der Textverarbeitung hat
genau beschrieben, wie Zusammenfassungen im Alltag normalerweise ablaufen.
Zentral dabei war die Differenzierung einer aufsteigenden (textgeleiteten) und einer
absteigenden (schemageleiteten) Verarbeitung sowie das Formulieren von Makrooperatoren der Reduktion (Auslassen, Generalisation, Konstruktion, Integration,
Selektion, Bündelung).

Grundprinzip einer zusammenfassenden Inhaltsanalyse ist nun, daß die jeweilige
Abstraktionsebene der Zusammenfassung genau festgelegt wird, auf die das Material durch Einsatz der Makrooperatoren transformiert wird. Diese Abstraktionsebene
kann nun schrittweise verallgemeinert werden; die Zusammenfassung wird immer
abstrakter. Als allgemeines inhaltsanalytisches Ablaufmodell einer Zusammenfassung läßt sich nun festhalten:

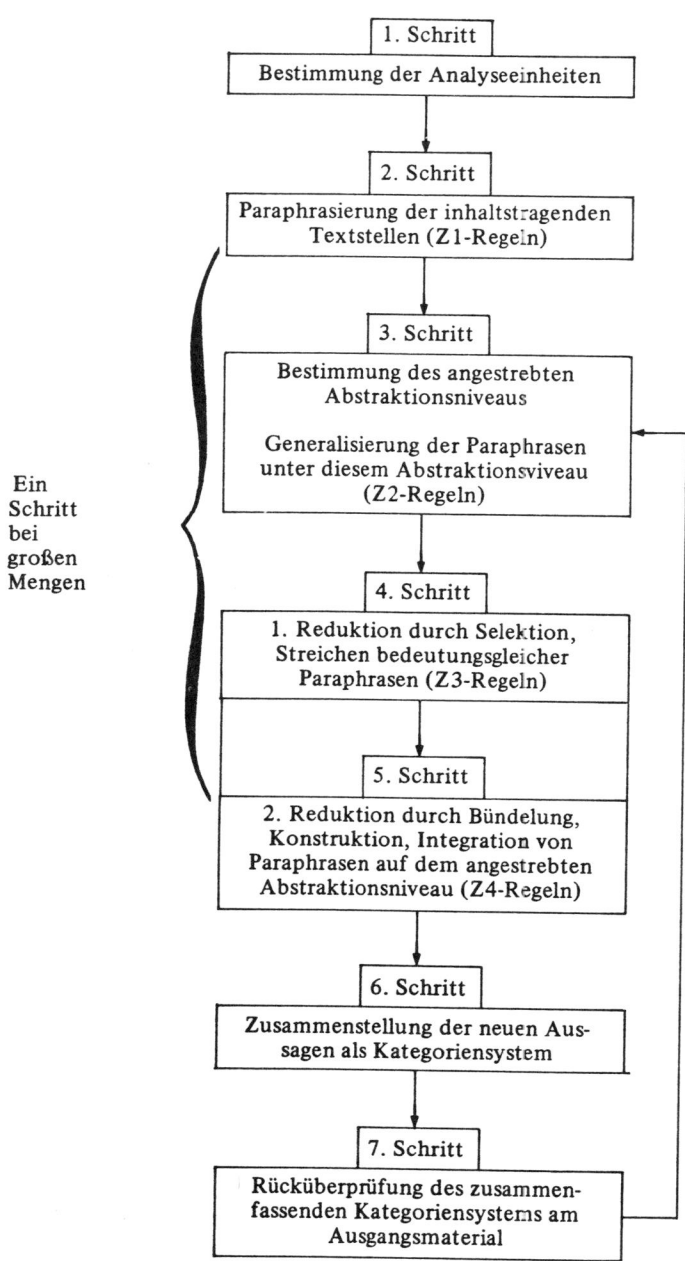

| 1. Schritt |
| Bestimmung der Analyseeinheiten |

| 2. Schritt |
| Paraphrasierung der inhaltstragenden Textstellen (Z1-Regeln) |

| 3. Schritt |
| Bestimmung des angestrebten Abstraktionsniveaus

Generalisierung der Paraphrasen unter diesem Abstraktionsviveau (Z2-Regeln) |

| 4. Schritt |
| 1. Reduktion durch Selektion, Streichen bedeutungsgleicher Paraphrasen (Z3-Regeln) |

| 5. Schritt |
| 2. Reduktion durch Bündelung, Konstruktion, Integration von Paraphrasen auf dem angestrebten Abstraktionsniveau (Z4-Regeln) |

| 6. Schritt |
| Zusammenstellung der neuen Aussagen als Kategoriensystem |

| 7. Schritt |
| Rücküberprüfung des zusammenfassenden Kategoriensystems am Ausgangsmaterial |

Ein Schritt bei großen Mengen

Abbildung 10: Ablaufmodell zusammenfassender Inhaltsanalyse

Nachdem in den ersten Schritten der Analyse das Material genau beschrieben wurde und durch die Fragestellung festgelegt wurde, was zusammengefaßt werden soll, müssen also die Analyseeinheiten bestimmt werden (vgl. Kap. 5.4).

Die einzelnen Kodiereinheiten werden nun in eine knappe, nur auf den Inhalt beschränkte, beschreibende Form umgeschrieben (Paraphrasierung). Dabei werden bereits nichtinhaltstragende (ausschmückende) Textbestandteile fallengelassen. Die Paraphrasen sollen auf einer einheitlichen Sprachebene formuliert sein, was vor allem bei mehreren Sprechern (z.B. Gruppendiskussion) wichtig ist. Schließlich sollen sie in einer grammatikalischen Kurzform stehen (z.B. „Ja wissen Sie, ich hab' da eigentlich keine Belastung im großen und ganzen damals gespürt." wird zu „keine Belastung gespürt") (vgl. die Z1-Regeln S. 62). Handelt es sich um überschaubare Materialmengen, so werden diese Paraphrasen herausgeschrieben; wäre das zu aufwendig, so werden die nächsten beiden Analyseschritte gleich mitvollzogen.

Im nächsten Schritt wird das Abstraktionsniveau der ersten Reduktion bestimmt aufgrund des vorliegenden Materials. Alle Paraphrasen, die unter dem Niveau liegen, müssen nun verallgemeinert werden (Makrooperator Generalisation). An dieser Stelle, wie auch bei den weiteren Reduktionsschritten, müssen bei Zweifelsfällen theoretische Vorannahmen zuhilfe genommen werden. Paraphrasen, die über dem Abstraktionsniveau liegen, werden zunächst belassen (vgl. die Z2-Regeln, S. 62). Dadurch entstehen einige inhaltsgleiche Paraphrasen, die nun gestrichen werden können. Ebenso können unwichtige und nichtssagende Paraphrasen weggelassen werden (Makrooperatoren Auslassen und Selektion) (vgl. die Z3-Regeln, S. 62). In einem zweiten Reduzierungsschritt werden nun mehrere, sich aufeinander beziehende und oft über das Material verstreute Paraphrasen zusammengefaßt und durch eine neue Aussage wiedergegeben (Makrooperatoren Bündelung, Konstruktion, Integration) (vgl. die Z4-Regeln, S. 62).

Am Ende dieser Reduktionsphase muß genau überprüft werden, ob die als Kategoriensystem zusammengestellten neuen Aussagen das Ausgangsmaterial noch repräsentieren. Alle ursprünglichen Paraphrasen des ersten Materialdurchganges müssen im Kategoriensystem aufgehen. Noch gründlicher ist natürlich eine Rücküberprüfung der Zusammenfassung am Ausgangsmaterial selbst. Damit ist der erste Durchlauf der Zusammenfassung abgeschlossen.

Oft jedoch ist eine weitere Zusammenfassung vonnöten. Sie ist ganz einfach zu erreichen, indem das Abstraktionsniveau nun auf einer noch höheren Ebene festgelegt wird und die nachlaufenden Interpretationsschritte neu durchlaufen werden. Am Ende dieses Prozesses steht dann ein neues, allgemeineres und knapperes Kategoriensystem, das wiederum rücküberprüft werden muß. Dieser Kreisprozeß kann so lange durchlaufen werden, bis das Ergebnis der angestrebten Reduzierung des Materials entspricht.

Bei großen Materialmengen ist es oft nicht mehr möglich, alle inhaltstragenden Textstellen zu paraphrasieren. Hier können mehrere Analyseschritte zusammengefaßt werden. Die Textstellen werden gleich auf das angestrebte Abstraktionsniveau transformiert. Vor dem Herausschreiben jeder neuen generalisierten Paraphrase wird überprüft, ob sie nicht schon in den bisherigen enthalten ist, ob sie nicht mit anderen generalisierten Paraphrasen in bezug steht, so daß sie bündelbar, konstruierbar, integrierbar zu einer neuen Aussage ist.

Aus dieser Beschreibung des Modells und aus den Schilderungen der Makrooperatoren im Kapitel 4.5 lassen sich nun *Interpretationsregeln* der zusammenfassenden qualitativen Inhaltsanalyse aufstellen. Sie beziehen sich auf die vier Punkte, an denen das Material reduziert wird (vgl. Abb. 10):

Z1:   *Paraphrasierung*
Z1.1   Streiche alle nicht (oder wenig) inhaltstragenden Textbestandteile wie ausschmückende, wiederholende, verdeutlichende Wendungen!
Z1.2   Übersetze die inhaltstragenden Textstellen auf eine einheitliche Sprachebene!
Z1.3   Transformiere sie auf eine grammatikalische Kurzform!

Z2:   *Generalisierung auf das Abstraktionsniveau*
Z2.1   Generalisiere die Gegenstände der Paraphrasen auf die definierte Abstraktionsebene, so daß die alten Gegenstände in den neu formulierten impliziert sind!
Z2.2   Generalisiere die Satzaussagen (Prädikate) auf die gleiche Weise!
Z2.3   Belasse die Paraphrasen, die über dem angestrebten Abstraktionsniveau liegen!
Z2.4   Nimm theoretische Vorannahmen bei Zweifelsfällen zuhilfe!

Z3:   *Erste Reduktion*
Z3.1   Streiche bedeutungsgleiche Paraphrasen innerhalb der Auswertungseinheiten!
Z3.2   Streiche Paraphrasen, die auf dem neuen Abstraktionsniveau nicht als wesentlich inhaltstragend erachtet werden!
Z3.3   Übernehme die Paraphrasen, die weiterhin als zentral inhaltstragend erachtet werden (Selektion)!
Z3.4   Nimm theoretische Vorannahmen bei Zweifelsfällen zuhilfe!

Z4:   *Zweite Reduktion*
Z4.1   Fasse Paraphrasen mit gleichem (ähnlichem) Gegenstand und ähnlicher Aussage zu einer Paraphrase (Bündelung) zusammen!
Z4.2   Fasse Paraphrasen mit mehreren Aussagen zu einem Gegenstand zusammen (Konstruktion/Integration)!
Z4.3   Fasse Paraphrasen mit gleichem (ähnlichem) Gegenstand und verschiedener Aussage zu einer Paraphrase zusammen (Konstruktion/Integration)!
Z4.4   Nimm theoretische Vorannahmen bei Zweifelsfällen zuhilfe!

Beispiel

Zur Demonstration einer zusammenfassenden qualitativen Inhaltsanalyse an unserem Beispielmaterial bietet sich die erste Hauptfragestellung sehr gut an (vgl. S. 49): „Was sind die hauptsächlichen Erfahrungen der arbeitslosen Lehrer mit dem ‚Praxisschock‘?" In zwei Reduktionsdurchläufen sollen nun die Äußerungen der vier Lehrer über den „Praxisschock" die im Anhang auf 8 Seiten wiedergegeben sind, auf eine knappe, halbseitige Form zusammengefaßt werden.

Bei der Bestimmung der Analyseeinheiten muß zunächst festgehalten werden, daß bei Zusammenfassung Auswertungs- und Kontexteinheit zusammenfallen. Im Falle unseres Beispiels ist diese Einheit im ersten Durchgang der einzelne Fall, im zweiten Durchgang das gesamte Material. Die Kodiereinheit jedoch ist enger gefaßt. Sie legt die Einheiten fest, die im ersten Materialdurchgang als Paraphrasen der Zusammenfassung zugrundegelegt werden. Im Beispiel ist die Kodiereinheit: jede vollständige Aussage eines Lehrers über Erlebnisse, Bewertungen, Wirkungen des Referendardienstes im Vergleich mit der theoretischen Ausbildung an der Universität.

Im folgenden soll der erste Reduktionsdurchgang dargestellt werden. In der Tabelle wird dabei zunächst die Fallnummer und Seitenzahl der jeweiligen Textstelle festgehalten. In den nächsten Spalten werden dann die Paraphrasen der inhaltstragenden Textstellen dargestellt und fortlaufend durchnumeriert.

Das Abstraktionsniveau des ersten Reduktionsdurchganges wurde so festgelegt: es sollen möglichst allgemeine, aber fallspezifische (pro Lehrer) Äußerungen über die Referendarzeit sein, d.h. Äußerungen des einzelnen Lehrers über seine gesamte Referendarzeit, die seine Erfahrungen mit dem „Praxisschock" zusammenfassen.

62

In der mittleren Hauptspalte sind die einzelnen Paraphrasen auf dieses Abstraktionsniveau generalisiert worden. Doppelte oder unwichtige Äußerungen wurden dann in dieser Spalte gestrichen. In der letzten Spalte schließlich sind die übriggebliebenen Äußerungen durch Bündelung, Integration und Konstruktion zu neuen Äußerungen fallspezifisch zusammengestellt, die das Ergebnis des ersten zusammenfassenden Durchganges darstellen. Als erstes Kategoriensystem wurden sie durchnumeriert.

II/Fall	S.	Nr.	Paraphrase	Generalisierung	Reduktion
A	119	1	Keine psychische Belastung durch Praxisschock gehabt	Kein Praxisschock als großen Spaß erlebt wegen	K 1 Praxis nicht als Schock, sondern als großen Spaß erlebt wegen – vorheriger Lehrerfahrung; – Landschule ohne Disziplinschwierigkeiten; – keine unrealistischen Erwartungen gehabt; – gute Beziehungen zu Schülern gehabt.
A	119	2	Im Gegenteil, ganz begierig auf Praxis gewesen	Eher auf Praxis gefreut	
A	119	3	Uni = reines Fachstudium, hat mit Lehren wenig zu tun	An Uni wird keine Lehrerfahrung vermittelt	
A	119	4	Konnte aber schon vorher Praxiserfahrungen sammeln	Schon vorher Lehrerfahrung	
A	119	5	Praxis hat großen Spaß gemacht	Praxis hat Spaß gemacht	
A	119	6	War stofflich einfach und faszinierend für die Schüler	Gut vermittelbarer Stoff als Bedingung	K 2 Ohne diese Bedingungen Praxisschock schon denkbar
A	119	7	Darauf gewartet, endlich zu unterrichten	Auf Praxis gefreut	
A	119	8	Es gibt schon Enttäuschungen, daß die Schüler nicht so sind, wie man meint	Schon auch Enttäuschungen	
A	119	9	Praxisschock war es bestimmt nicht	Kein Praxisschock	
A	119	10	Arbeitsbelastung nicht so groß (höchstens in Zweigschule)	Wenig Arbeitsbelastung	
A	119	11	Frustriertheit des Lehrers in Großstadtschule mit Disziplinschwierigkeiten der Schüler denkbar	Frustriertheit des Lehrers in Großstädten denkbar	
A	120	12	Eigene Arbeit (Landschule) durch Spaß entschädigt	Spaß an der Arbeit gehabt	
A	120	13	Schüler mögen mich dort immer noch	Gute Beziehung zu Schülern gehabt	
A	120	14	Bin zu realistisch, als daß ich mir falsche Vorstellungen gemacht hätte	Keine unrealistischen Erwartungen gehabt	
A	120	15	Erzieherische Arbeit ist sowieso bei 35 Schülern u.d Stoffülle sehr gering anzusetzen	Erzieherische Arbeit nur gering ansetzbar	

Fall	S.	Nr.	Paraphrase	Generalisierung	Reduktion
B	120	16	Praxisschock selbst nicht direkt gehabt	Kein Praxisschock	K 3 Kein Praxisschock, wegen Flexibilität, Realismus, Anpassungsfähigkeit und Reden mit offenen Kollegen
B	120	17	Positive, „jetzt komm ich!" – Einstellung am Anfang	Einstellung, es besser machen zu können, am Anfang	
B	121	18	Wurde selbst von einem Lehrerstudent wegen meinem Unterricht kritisiert	Einstellung, es besser machen zu können, auch bei anderen Lehrerstudenten	K 4 Meinung, ohne Disziplinierungsmaßnahmen nur mit Gut-Zureden auszukommen, ist Illusion, weil
B	121	19	Hab ihm gesagt, Methode des Gut-Zuredens in den seltensten Fällen möglich	Illusion, da Methode des Gut-Zuredens in den seltensten Fällen möglich	– auch etablierte Lehrer Schwierigkeiten haben;
B	121	20	Habe am Anfang auch gesagt: Das kann man doch anders machen	Einstellung, es besser machen zu können, am Anfang	– Schüler Maßnahmen erwarten;
B	121	21	Hab mich mit meiner ersten Klasse gut zusammengerauft	Gut zusammengerauft mit der Klasse	– große Klassen;
B	121	22	War nicht schockiert	Kein Praxisschock	– häufiger Klassenwechsel;
B	121	23	Hab's genommen, wie's kommt	Realistisch und anpassungsfähig	– Relativität päd. Wertes;
B	121	24	Etablierte Lehrer haben dieselben Schwierigkeiten, deshalb brauche ich mich nicht als Versager zu fühlen	Kein eigenes Versagen empfunden, da andere Lehrer auch Schwierigkeiten haben	– gutes Verhältnis zu Schülern auch anders möglich
B	121	25	Wenig Lehrer geben Schwierigkeiten zu	Wenig Lehrer geben Schwierigkeiten zu	K 5 Skilager/Sport kann hartes Auftreten kompensieren
B	121	26	Hatte offene Kollegen		K 6 Zwickmühle, päd. Verhalten auszuprobieren und trotzdem konsequent zu sein
B	121	27	Reden mit Kollegen als beste Lösung von Praxisproblemen	Reden mit offenen Kollegen als beste Lösung von Praxisproblemen	
B	121	28	Direkt schockiert nicht	Kein Praxisschock	
B	121	29	Bin sehr flexibel, weiß immer, wie ich reagieren muß	Bin flexibel	
B	121	30	Über pädag. Wert ist man hinterher immer schlauer	Pädagogischer Wert immer umstritten	

66

Fall II	S.	Nr.	Paraphrase	Generalisierung	Reduktion
B	121	31	Schreien oft nützlicher als Gut-Zureden	Schreien oft nützlicher als Gut-Zureden	s.o.
B	121	32	Bei großen Klassen oft gezwungen, fragwürdige Sachen zu machen	Große Klassen erschweren pädagogischen Umgang	
B	121	33	Schüler wollen, daß man irgendetwas macht	Schüler wollen Maßnahmen	
B	121	34	Habe mir vorher nie vorstellen können, so was zu machen	Ohne Maßnahmen auszukommen, ist Illusion	
B	122	35	Man eignet sich einen Katalog an Reaktionsmöglichkeiten auf Disziplinschwierigkeiten an	Man eignet sich Disziplinierungskatalog an	
B	122	36	Man soll während der Referendarzeit Methoden ausprobieren	Man soll ausprobieren	
B	122	37	Habe ,Atlas-auf-den-Tisch-hauen' ausprobiert und es hat kurzfristig geklappt	Habe Disziplinierungsmethoden mit Erfolg ausprobiert	
B	122	38	Solche Tips ausprobiert, an mir gearbeitet	Habe Disziplinierungsmethoden mit Erfolg ausprobiert	
B	122	39	Man muß das durchziehen, weil die Klasse keine Rückzieher erlaubt	Zwang zur Konsequenz	
B	122	40	Das ist eine Zwickmühle	Zwickmühle zwischen Ausprobieren und Konsequenz	
B	122	41	Viel gelernt im Verhalten zu Schülern	Umgang mit Schülern gelernt	
B	122	42	Gutes Verhältnis zu Schülern gehabt	Gutes Verhältnis zu Schülern gehabt	
B	122	43	Im Skilager, auch oft im Sportunterricht, hat man ganz anderes Verhältnis	Skilager/Sport ganz anderes Verhältnis	

Fall	S.	Nr.	Paraphrase	Generalisierung	Reduktion
B	122	44	Erdkunde schwieriger, da weniger Unterrichtsstunden	Bei wenig Stunden schwierig	
C	122	45	Praxisschock als starkes Problem	Praxisschock als starkes Problem	K 7 Praxisschock starkes Problem durch Anpassungszwang an Vorstellungen der Seminarlehrer wegen Benotung; hat Selbstvertrauen, eigenes Ich angekratzt
C	122	46	Abhängigkeit vom Seminarlehrer zunächst dominierend	Abhängigkeit von Seminarlehrer	
C	122	47	Zunächst Unterricht als trübsinnig gesehen, das kann man doch anders	Am Anfang Meinung, es anders machen zu können	K 8 Vielleicht auch gelegen an – stärkerer Sensibilität; – kein Einser-Lehrer, – kein ‚Converencier-Typ‘; – wenig anpassungsfähig
C	123	48	Diese Vorstellungen in der Referendarzeit nicht verwirklichbar	Dies nicht verwirklichbar	
C	123	49	Man will möglichst günstig beurteilt werden	Abhängigkeit von Benotung	
C	123	50	Das führt zu Konflikt	Führt zu Konflikt	
C	123	51	Was dem Seminarlehrer nicht adäquat erscheint, kann man nicht machen	Anpassungszwang an Seminarlehrer	
C	123	52	Man muß sich an Seminarlehrer von vorneherein anpassen	Anpassungszwang an Seminarlehrer	
C	123	53	Bin nicht der Typ, der sofort schematisch Regeln abfahren kann	Nicht der Typ, der alle Probleme schematisch bewältigt	
C	123	54	Wenn man Beziehungen zu Schülern sucht, kommt man oft zu Reaktionen, die nicht offizieller Maßgabe entsprechen	Eigene Vorstellungen oft abweichend	
C	123	55	Oft liegt man dabei auch falsch	Oft falsche Vorstellungen	
C	123	56	Kann sein, daß ich überdurchschnittlich sensibel in der Richtung bin	Viel sensibler	

67

Fall	S.	Nr.	Paraphrase	Generalisierung	Reduktion
C	123	57	Andere Referendare haben das aber auch so gesehen	Andere empfinden ebenso	s.o.
C	124	58	Permanentes Bewußtsein, möglichst gute Note	Notendruck durch Seminarlehrer	
C	124	59	Man versucht auf Biegen oder Brechen, möglichst gut abzuschneiden	Notendruck	
C	124	60	Anpassungsdruck	Anpassungsdruck	
C	124	61	Könnte in Zukunft wegen aussichtslosen Anstellungschancen besser werden	In Zukunft vielleicht besser	
C	124	62	Permanentes Problem gewesen	Permanentes Problem	
C	124	63	Hat an mir gezehrt	Hat gezehrt	
C	124	64	War psychisch nicht mehr zu Wiederholungsprüfung fähig	Deshalb nicht mehr zu Wiederholungsprüfung fähig	
C	124	65	Einser schaffe ich nicht	Kein Einser-Lehrer	
C	125	66	Hat Selbstvertrauen abgeschliffen	Selbstvertrauen abgeschliffen	
C	125	67	Nicht an eigenen Vorstellungen oder Fähigkeit im Umgang mit Kindern gezweifelt	Jedoch kein Selbstzweifel	
C	125	68	Es zehrt, kratzt eigenes Ich an	Eigenes Ich angekratzt	
C	125	69	Manchem macht das nichts, die mehr „pädagogische" Fähigkeiten haben	Anderen macht es weniger aus	
C	125	70	Leute, die alles so machen, wie es ihnen gesagt wird	Anpassungsfähigen macht es weniger aus	
C	125	71	Ist vielleicht überspitzt	Vielleicht überspitzt	

Fall II	S.	Nr.	Paraphrase	Generalisierung	Reduktion
C	125	72	Leute, die temperamentvoller, umgänglicher sind, neue Ideen haben, Kritik in Bonmots bringen (Conferencier-Typen) kommen mächtig an	Conferencier-Typen macht es weniger aus	
C	125	73	Ist aber Mentalitätssache, kann man nicht zum Gradmesser machen	Kann nicht zum Maßstab gemacht werden	
D	125	74	Selbst geringe ideologische/pädagogische Erwartungen gehabt	Keine vorgeprägten Vorstellungen gehabt	K 9 Starker Praxisschock wegen – mangelnder Übung; – von Schülern nur als Referendar angesehen; – Kritik der Seminarlehrer zerstört Selbstvertrauen und belastet stark
D	125	75	Nur gehofft, gute Arbeit zu machen	Nur gehofft, gute Arbeit zu machen	
D	125	76	Trotzdem nicht hingehauen	Trotzdem nicht geklappt	
D	125	77	Keine Übung gehabt	Keine Übung	
D	125	78	Nur als Lehrer von den Schülern akzeptiert, nicht als Mensch	Nur in Lehrerrolle von Schülern akzeptiert	
D	126	79	Liegt auch an den vielen Referendaren, die die Kinder haben	Zu viele Referendare	
D	126	80	Druck der Seminarlehrer	Druck durch Seminarlehrer	
D	126	81	Machen einen durch Kritik zur Schnecke	Druck durch Kritik	
D	126	82	Selbstvertrauen gleich Null	Selbstvertrauen zerstört	K 10 Erst mit der Zeit gelernt, mit der Klasse ohne Chaos umzugehen
D	126	83	Selbstsicherheit und Autorität in der Klasse dadurch schwer	Auftreten in der Klasse erschwert	
D	126	84	Unbewältigbarer Konflikt	Unbewältigbarer Konflikt	
D	126	85	In der Seminarschule Chaos in der Klasse	Am Anfang Chaos	
D	126	86	Zweigschule besser	Zweigschule besser	

Fall II	S.	Nr.	Paraphrase	Generalisierung	Reduktion
D	126	87	Hat mich fix und fertig gemacht	Hat mit fix und fertig gemacht	s.o.
D	126	88	Ganz klein rausgekommen	Selbstvertrauen zerstört	
D	126	89	Positive Erfahrungen durch Kritik der Seminarlehrer zunichte gemacht	Positive Erfahrungen durch Seminarlehrer zerstört	
D	126	90	Man hat das Gefühl, nur Mist gemacht zu haben	Selbstvertrauen zerstört	
D	126	91	Mit der Zeit schon gut ausgekommen mit der Klasse	Mit der Zeit gut ausgekommen mit der Klasse	
D	126	92	Das wurde vom Seminarlehrer nicht akzeptiert	Nicht akzeptiert von Seminarlehrer	
D	126	93	Am Anfang Chaos	Am Anfang Chaos	
D	126	94	Schock über Seminarlehrer	Schock über Seminarlehrer	
D	126	95	Schock über Klassen, die getobt haben	Am Anfang Chaos	
D	127	96	Sich durchzusetzen, Ruhe schaffen für Unterricht nicht geschafft	Am Anfang Chaos	
D	127	97	Gehört eine bestimmte Methode dazu, die man lernen muß	Auskommen mit der Klasse erlernbar	

Mit den 10 Kategorien der rechten Spalte ist nun die erste Zusammenfassung erreicht. In einem zweiten Durchgang sollen diese Kategorien weiter reduziert werden. Dazu wird das Abstraktionsniveau weiter herausgesetzt. Die Aussagen sollen nun fallübergreifend nicht mehr die Einschätzungen des einzelnen Lehrers darlegen, sondern zu allgemeinen Einschätzungen der Referendarzeit, des „Praxisschocks" generalisiert werden.

Eine solche Generalisierung ist wohl aufgrund von nur vier Fällen inhaltlich nicht voll gerechtfertigt, soll aber trotzdem zu Anschauungszwecken vorgeführt werden.

Fall	Kat.	Generalisierung	Reduktion
A	K1	Praxis nicht als Schock, sondern großer Spaß wegen – vorheriger Lehrerfahrung; – Landschule ohne Disziplinschwierigkeiten; – keine unrealistischen Erwartungen gehabt; – gute Beziehungen zu Schülern gehabt	● Kein Praxisschock, wenn: – vorherige Lehrerfahrung; – gute Bedingungen; – keine unrealistischen Erwartungen ● Gute Beziehung zu Schülern möglich	K'1 Kein Praxisschock tritt auf, wenn man – vorher Lehrerfahrungen macht; – gute Referendariatsbedingungen hat; – flexibel und anpassungsfähig ist; – offen mit Kollegen redet; – keine ‚unrealistischen' pädagogischen Erwartungen hat (Illusion des Nur-gut-Zuredens).
A	K2	Ohne diese Bedingungen Praxisschock schon denkbar	● Sonst Praxisschock	K'2 Praxisschock kann Selbstvertrauen stark mindern und belasten, wenn – keine Übung da ist; – destruktive Kritik und Anpassungszwang an Seminarlehrer nicht weggesteckt wird; – man nicht völlig selbstüberzeugt ist.
B	K3	Kein Praxisschock wegen Flexibilität, Realismus, Anpassungsfähigkeit und Reden mit offenen Kollegen	● Kein Praxisschock, wenn – flexibel und anpassungsfähig; – Reden mit Kollegen	K'3 In jedem Fall ist eine gute Beziehung zu Schülern erreichbar
B	K4	Meinung, ohne Disziplinierungsmaßnahmen nur mit Gut-Zureden anzukommen ist Illusion, weil – auch etablierte Lehrer Schwierigkeiten haben; – Schüler Maßnahmen erwarten; – große Klassen; – häufige Klassenwechsel; – Relativität pädagogischen Wertes; – gutes Verhältnis zu Schülern auch anders möglich	● Kein Praxisschock, wenn Illusion, ohne Disziplinierungsmittel nur mit Gut-Zureden auszukommen, aufgegeben wird. ● Gute Beziehungen zu Schülern möglich	K'4 Es ist eine Zwickmühle, pädagog. Verhalten ausprobieren zu wollen u. trotzdem in der Klasse konsequent zu sein
B	K5	Skilager/Sport kann hartes Auftreten kompensieren	● Hartes Auftreten kann kompensiert werden	
B	K6	Zwickmühle, pädagogisches Verhalten auszuprobieren und trotzdem konsequent zu sein	● Zwickmühle, pädagogisches Verhalten auszuprobieren und trotzdem konsequent zu sein	

Fall II	Kat.	Generalisierung	Reduktion
C	K7	Praxisschock starkes Problem durch Anpassungszwang an Vorstellungen der Seminarleiter wegen Benotung; hat Selbstvertrauen, eigenes Ich angekratzt	• Anpassungszwang an Seminarlehrer kann Selbstvertrauen ankratzen	s.o.
C	K8	Vielleicht auch gelegen an – stärkerer Sensibilität; – kein 'Einser-Lehrer'; – kein 'Conferencier'-Typ; – weniger anpassungsfähig	• Selbstvertrauen dann gefährdet, – wenn sensibler; – wenn nicht völlig selbstüberzeugt; – wenn weniger anpassungsfähig	
D	K9	Starker Praxisschock wegen – mangelnder Übung; – von Schülern nur als Referendar angesehen; – Kritik der Seminarlehrer zerstört Selbstvertrauen und belastet stark	• Praxisschock, wenn – mangelnde Übung; – mangelndes Ansehen bei Schülern; – Destruktive Kritik der Seminarlehrer	
D	K10	Erst mit der Zeit gelernt, mit der Klasse ohne Chaos umzugehen	• Umgehen mit der Klasse erlernbar	

Die Rücküberprüfung der Kategorien am Ausgangsmaterial hat sich als einigermaßen repräsentativ erwiesen. Damit ist der Zweck der zusammenfassenden qualitativen Inhaltsanalyse erreicht, eine große Materialmenge auf ein überschaubares Maß
zu kürzen und die wesentlichen Inhalte zu erhalten. Dieser Reduktionsprozeß läßt
sich auch quantitativ darstellen; die Breite der Balken soll den Materialumfang
bezeichnen.

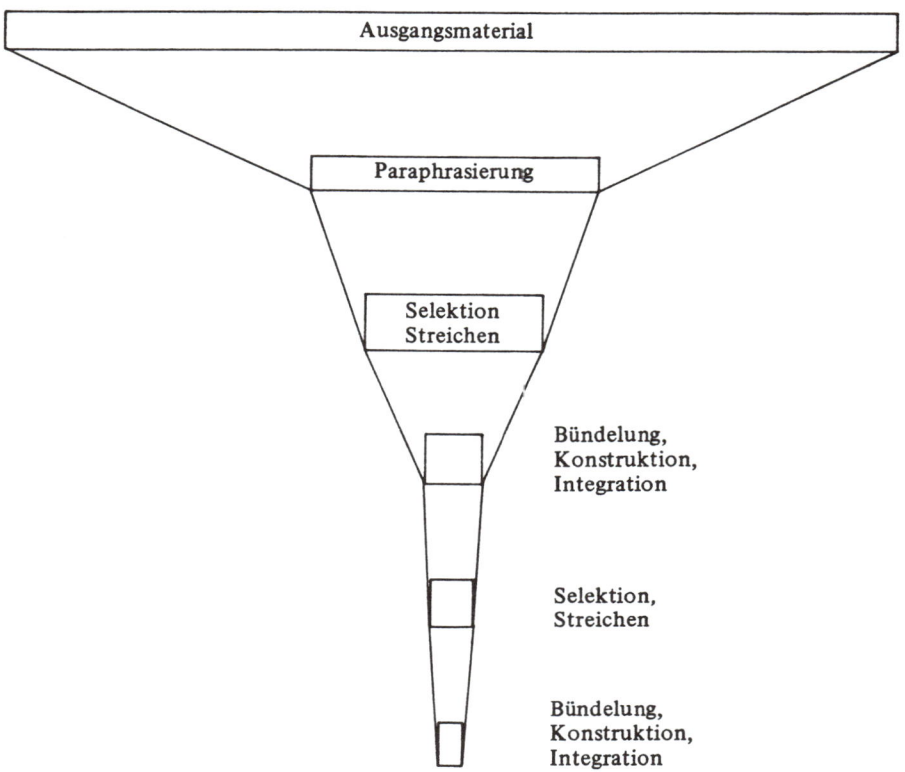

Abbildung 11: Materialreduzierung durch die Zusammenfassung

Induktive Kategorienbildung

Das grundlegende Modell der zusammenfassenden qualitativen Inhaltsanalyse
läßt sich auch für eine induktive Kategorienbildung einsetzen.

Wir haben bereits darauf hingewiesen, daß die Definition der Kategorien einen
zentralen Schritt der Inhaltsanalyse, einen sehr sensiblen Prozeß, eine Kunst
(Krippendorff, 1980) darstellt. Dabei sind zwei Vorgehensweisen denkbar:

– Eine deduktive Kategoriendefinition bestimmt das Auswertungsinstrument
  durch theoretische Überlegungen. Aus Voruntersuchungen, aus dem bisherigen
  Forschungsstand, aus neu entwickelten Theorien oder Theoriekonzepten wer-

74

den die Kategorien in einem Operationalisierungsprozeß auf das Material hin entwickelt. Die strukturierende Inhaltsanalyse wäre dafür ein Beispiel (vgl. Kap. 5.5.4).

– Eine induktive Kategoriendefinition hingegen leitet die Kategorien direkt aus dem Material in einem Verallgemeinerungsprozeß ab, ohne sich auf vorab formulierte Theorienkonzepte zu beziehen.

Für die qualitative Inhaltsanalyse ist nun die zweite Vorgehensweise sehr fruchtbar. Induktives Vorgehen hat eine große Bedeutung innerhalb qualitativer Ansätze (vgl. Mayring, 1996). Es strebt nach einer möglichst naturalistischen, gegenstandsnahen Abbildung des Materials ohne Verzerrungen durch Vorannahmen des Forschers, eine Erfassung des Gegenstands in der Sprache des Materials. Innerhalb der „Grounded Theory" (Strauss, 1987; Strauss & Corbin, 1990) wird

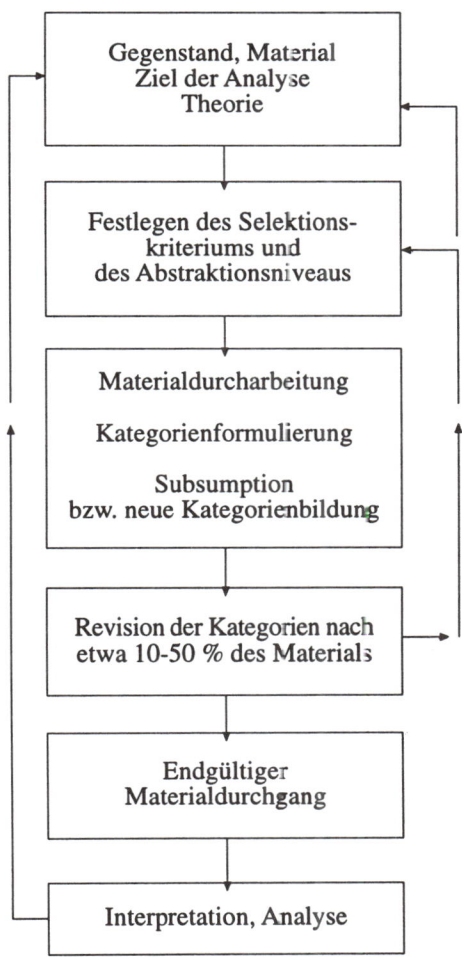

Abb. 11a: Prozeßmodell induktiver Kategorienbildung

dieser Vorgang als „offene Kodierung" bezeichnet und durch einige Faustregeln und Verfahrensvorschläge beschrieben. Innerhalb der qualitativen Inhaltsanalyse läßt sich dieser Kategorienbildungsprozeß nun aber systematischer beschreiben, indem die gleiche Logik, die gleichen reduktiven Prozeduren verwendet werden, die in der zusammenfassenden Inhaltsanalyse eingesetzt werden. Das Prozeßmodell in Abbildung 11a beschreibt den Vorgang.

In der Logik der Inhaltsanalyse muß vorab das Thema der Kategorienbildung theoriegeleitet bestimmt werden, also ein Selektionskriterium eingeführt werden, das bestimmt, welches Material Ausgangspunkt der Kategoriendefinition sein soll. Dadurch wird Unwesentliches, Ausschmückendes, vom Thema Abweichendes ausgeschlossen. Die Fragestellung der Analyse gibt dafür die Richtung an. Ebenso muß im Sinne zusammenfassender Inhaltsanalyse das Abstraktionsniveau der zu bildenden Kategorien festgelegt werden. Möchte man beispielsweise Kritikpunkte an universitären Lehrveranstaltungen aus offenen Antworten eines Fragebogens herausfiltern, so macht es wenig Sinn, zunächst eine Kategorie „Zu wenig Medieneinsatz" und später eine Kategorie „Zu wenig Filme" zu bilden. Hier sollte man vorab festlegen, wie konkret oder abstrakt die Kategorien sein sollen. (Wenn die Kategorien möglichst konkret sein sollen und die erste Textstelle trotzdem ausgewertet werden soll, so müßte man die Kategorie nun „Zu wenig Medieneinsatz allgemein" nennen).

Nach dieser Festlegung wird das Material Zeile für Zeile durchgearbeitet. Wenn das erste Mal das Selektionskriterium im Material erfüllt ist, wird möglichst nahe an der Textformulierung unter Beachtung des Abstraktionsniveaus die erste Kategorie als Begriff oder Kurzsatz formuliert. Wenn das nächste Mal das Selektionskriterium erfüllt ist, wird entschieden, ob die Textstelle unter die bereits gebildete Kategorie fällt (Subsumption) oder eine neue Kategorie zu bilden ist.

Wenn auf diese Weise ein großer Teil des Materials durchgearbeitet wurde und nur wenig neue Kategorien gebildet werden müssen (bei großen Materialmengen kann das schon bei 10 % des Textes sein), ist dies der Moment für eine Revision des Kategoriensystems. Es muß überprüft werden, ob die Kategorien dem Ziel der Analyse nahe kommen, ob das Selektionskriterium und das Abstraktionsniveau vernünftig gewählt worden sind. Wenn sich hier Veränderungen ergeben, muß mit der Analyse des Materials nochmals begonnen werden; ansonsten wird weiter gegangen (nun kommen nur noch neue Kategorien dazu).

Das Ergebnis ist ein System an Kategorien zu einem bestimmten Thema, verbunden mit konkreten Textpassagen. Die weitere Analyse kann nun verschiedene Wege gehen:

- Das ganze Kategoriensystem kann interpretiert werden im Sine der Fragestellung.
- Es können entweder induktiv (im Sinne zusammenfassender Inhaltsanalyse) oder deduktiv (mithilfe theoretischer Erwägungen) Hauptkategorien gebildet werden.
- Es können quantitative Analysen, z. B. Häufigkeiten der Kategorien, angefügt werden.

76

5.5.3 Zweite qualitative Technik: Explikation (Kontextanalyse)

War das Ziel der zusammenfassenden Inhaltsanalyse die Reduktion des Materials, so ist die Richtung der Explikation genau entgegengesetzt. Zu einzelnen interpretationsbedürftigen Textstellen wird zusätzliches Material herangetragen, um die Textstelle zu erklären, verständlich zu machen, zu erläutern, zu explizieren.

Grundgedanke der Explikation als qualitativer inhaltsanalytischer Technik ist nun, daß genau definiert wird, *was* an zusätzlichem Material zur Erklärung der Textstelle zugelassen wird. Denn die Auswahl dieses Materials entscheidet über die Güte der Explikation.

Bei jeder Explikation muß die Grundlage die lexikalisch-grammatikalische Definition sein; die Bedeutung von Sprache wird laufend auf dem jeweiligen kulturellen Hintergrund in ihrer jeweils aktuellen Ausprägung in Wörterbüchern, Lexika festgehalten; die Struktur von Sätzen wird in Grammatiken festgelegt. Diese allgemeine lexikalisch-grammatikalische Definition der Textstelle zu kennen ist die Voraussetzung der Explikation.

Interessant und wichtig wird die Analyse aber erst dann, wenn der Sprecher davon abweicht, spezifische eigene Bedeutungen in Sprache hineinlegt oder sich unvollständig, unklar ausdrückt. Da muß dann auf den *Kontext,* in dem die Äußerung steht, zurückgegriffen werden. Je nachdem, wie weit dieser Kontext gefaßt wird, kann man nun verschiedene Explikationstechniken unterscheiden.

So hat Volmert (1979) hier zwischen einem kleinraumtextologischen Akzent (als den direkten Bezügen im Text) und einem großraumtextologischen Akzent (als den vorangegangenen Informationen, den Hintergrundinformationen, dem Verstehenshorizont aber auch dem Verhaltenskontext, dem nonverbalen Kontext und dem Situationskontext der zu erklärenden Textstelle) unterschieden.

In diesem Zusammenhang soll hier analog zwischen einer engen und einer weiten Kontextanalyse unterschieden werden. Ziel der Explikation muß es dann sein, aufgrund der Kontextanalyse eine Formulierung zu finden, die eine Aufschlüsselung, eine Interpretation der Textstelle leistet. Im Gesamtzusammenhang des Materials läßt sich dann überprüfen, ob diese Explikation ausreicht.

Aufgrund dieser Überlegungen soll nun ein allgemeines Ablaufmodell der Explikation aufgestellt und erläutert werden (Abb. 12).

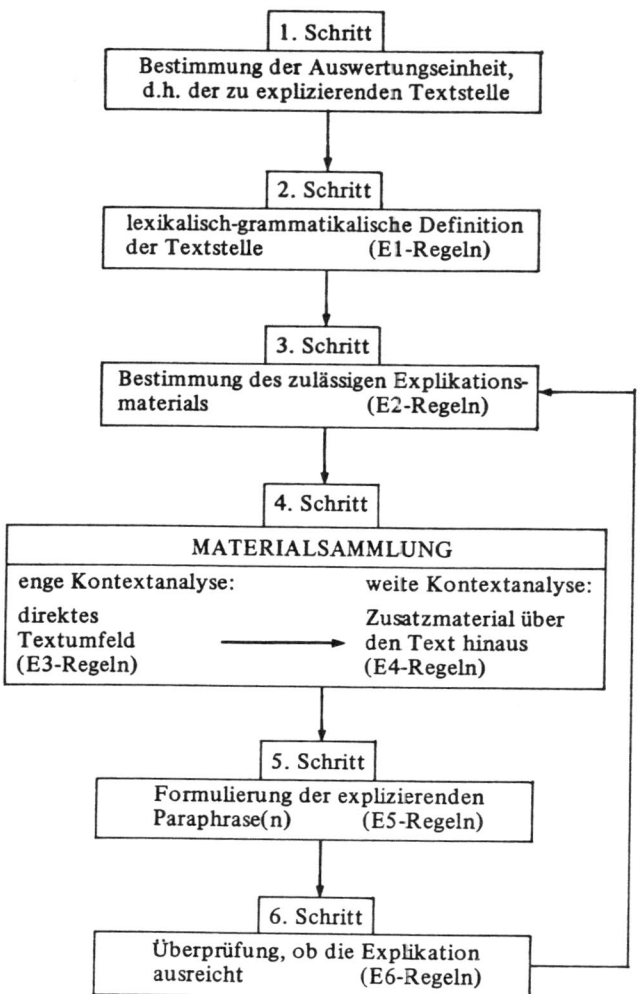

┌─────────────┐
│ 1. Schritt │
├─────────────┴──────────────────┐
│ Bestimmung der Auswertungseinheit, │
│ d.h. der zu explizierenden Textstelle │
└────────────────────────────────┘

┌─────────────┐
│ 2. Schritt │
├─────────────┴──────────────────┐
│ lexikalisch-grammatikalische Definition │
│ der Textstelle   (E1-Regeln) │
└────────────────────────────────┘

┌─────────────┐
│ 3. Schritt │
├─────────────┴──────────────────┐
│ Bestimmung des zulässigen Explikations- │
│ materials   (E2-Regeln) │
└────────────────────────────────┘

┌─────────────┐
│ 4. Schritt │
├─────────────┴──────────────────┐
│   MATERIALSAMMLUNG │
│ enge Kontextanalyse: weite Kontextanalyse: │
│ direktes   Zusatzmaterial über │
│ Textumfeld   ──────▶   den Text hinaus │
│ (E3-Regeln)   (E4-Regeln) │
└────────────────────────────────┘

┌─────────────┐
│ 5. Schritt │
├─────────────┴──────────────────┐
│ Formulierung der explizierenden │
│ Paraphrase(n)   (E5-Regeln) │
└────────────────────────────────┘

┌─────────────┐
│ 6. Schritt │
├─────────────┴──────────────────┐
│ Überprüfung, ob die Explikation │
│ ausreicht   (E6-Regeln) │
└────────────────────────────────┘

Abbildung 12: Ablaufmodell explizierender Inhaltsanalyse

Am Anfang der Explikation steht die genaue Definition der Textstelle, die expliziert werden soll (1. Schritt). Sie stellt die Auswertungseinheit der Analyse dar. Die Festlegung der Kodiereinheit fällt hier mit der Kontexteinheit zusammen, da bei der Explikation das kodiert wird, was als Kontextmaterial herangezogen werden soll. Dies geschieht aber erst im weiteren Verlauf der Analyse.

Im zweiten Schritt wird überprüft, ob bereits mittels einer grammatikalischen Analyse oder aufgrund der lexikalischen Bedeutung die Textstelle erklärbar ist. Dabei muß bedacht werden, welche Grammatiken und Lexika vom jeweiligen sprachlichen und sozio-kulturellen Hintergrund relevant sind. Die Übersetzung eines Textes oder einer Textstelle, im weitesten Sinne auch als explizierende Inhaltsanalyse verstehbar, würde mit diesem Schritt bereits abgeschlossen sein.

Bei der eigentlichen Explikation reicht dies jedoch in der Regel nicht aus. So muß im dritten Schritt nun bestimmt werden, welches zusätzliche Material zur Explikation zugelassen werden soll. Dabei gilt die Regel, daß vom engsten Kontext zum immer weiteren Umfeld fortgeschritten wird.

Bei der nun folgenden Materialsammlung (4. Schritt) soll unterschieden werden zwischen der engen und der weiten Kontextanalyse.

Die enge Kontextanalyse läßt nur Material aus dem Text selbst zu. Es werden aus dem Textkontext Stellen gesammelt, die zur fraglichen Textstelle in direkter Beziehung stehen.

Solche Stellen können

- definierend, erklärend,
- ausschmückend, beschreibend,
- beispielgebend, Einzelheiten aufführend,
- korrigierend, modifizierend,
- antithetisch, das Gegenteil beschreibend

zur Textstelle stehen.

Darüber hinaus wird bei der engen Kontextanalyse überprüft, ob die zu erklärende Textstelle im Material noch in gleicher oder ähnlicher Form auftaucht. Der dortige enge Textkontext wird dann ebenfalls hinzugezogen. Bei der weiten Kontextanalyse wird nun auch Material gesammelt, das über den eigentlichen Text hinausgeht. Dies können Informationen über den Textverfasser sein (vgl. Punkt 5.2, Bestimmung des Ausgangsmaterials), Informationen über die Entstehungsbedingungen des Textes (vgl. Punkt 5.2). Aber auch aus dem theoretischen Vorverständnis (vgl. Punkt 5.3, Theoriegeleitete Differenzierung der Fragestellung) kann explizierendes Material abgeleitet werden. Die weiteste Form einer Kontextanalyse läßt den gesamten Verstehenshintergrund des oder der Interpreten zur Explikation zu. Dies kann bis hin zu freien Assoziationen des Interpreten mit den in der Textstelle angesprochenen Inhalten gehen (vgl. das zweite Beispiel einer qualitativen Analyse biographischer Dokumente bei Gstettner 1980). In jedem Fall muß bei solchem Explikationsmaterial die Relevanz dieses Materials, der Bezug zur Textstelle genau begründet werden.

Der nächste Schritt (5. Schritt) besteht nun darin, aus diesem Material eine Formulierung zu bilden, die die fragliche Textstelle erklärt. Eine solche explizierende Paraphrase entsteht im allgemeinen dadurch, daß das gesammelte Material zusammengefaßt wird (vgl. die Regeln der Zusammenfassung). Wenn jedoch Widersprüche im Material auftauchen, müssen alternative Paraphrasen formuliert werden.

Im letzten Schritt (6. Schritt) wird die Paraphrase (oder die Alternativen Paraphrasen) im Text an den Ort der zu erklärenden Stelle gesetzt, um im Gesamtzusammenhang zu überprüfen, ob eine sinnvolle Explikation erreicht wurde. Ist dies nicht der Fall, so muß neues Explikationsmaterial bestimmt werden und ein neuer Durchlauf der Kontextanalyse vollzogen werden.

Aus dieser Beschreibung des Ablaufmodells lassen sich nun die Interpretationsregeln der explizierenden Inhaltsanalyse aufstellen:

E1: *Lexikalisch-grammatikalische Definition*
E1.1 Bestimme die vom sprachlichen und sozio-kulturellen Hintergrund relevanten Lexika und Grammatiken!
E1.2 Analysiere danach die Textstelle auf ihre grammatikalische und lexikalische Bedeutung!
E1.3 Überprüfe, ob die Textstelle dadurch bereits hinreichend erklärt ist.

E2:   *Bestimmung des Explikationsmaterials*
E2.1 Beginne beim engsten Textkontext, d.h. beim direkten Umfeld der zu explizierenden Stelle im Text!
E2.2 Schreite zu immer weiterem Kontext fort, wenn die Überprüfung der Explikation nicht befriedigend war!

E3:   *Enge Kontextanalyse*
E3.1 Sammle alle Aussagen, die in einer direkten Beziehung zur fraglichen Stelle im direkten Textkontext stehen, d.h. die sich
      – definierend, erklärend,
      – ausschmückend, beschreibend,
      – beispielgebend, Einzelheiten ausführend
      – korrigierend, modifizierend,
      – antithetisch, das Gegenteil beschreibend
      zur Textstelle verhalten!
E3.2 Überprüfe, ob die zu erklärende Textstelle im Text noch in gleicher oder ähnlicher Form auftaucht und untersuche den dortigen engen Textkontext!

E4:   *Weite Kontextanalyse*
E4.1 Überprüfe, ob zum Verfasser der Textstelle weiteres explizierendes Material zugänglich ist!
E4.2 Ziehe Material über die Entstehungssituation des Textes zur Erklärung heran!
E4.3 Überprüfe, ob aus dem theoretischen Vorverständnis explizierendes Material abgeleitet werden kann!
E4.4 Überprüfe, ob aufgrund des eigenen allgemeinen Verstehenshintergrundes weiteres Material heranzuziehen ist!
E4.5 Begründe die Relevanz, den Bezug des gesammelten Materials zur fraglichen Textstelle!

E5:   *Explizierende Paraphrase*
E5.1 Fasse das zur Explikation gesammelte Material zusammen (vgl. Zusammenfassung) und formuliere daraus eine Paraphrase für die fragliche Textstelle!
E5.2 Bei widersprüchlichem Material formuliere mehrere alternative Paraphrasen!

E6:   *Überprüfung der Explikation*
E6.1 Füge die explizierende Paraphrase anstatt der fraglichen Stelle in das Material ein!
E6.2 Überprüfe, ob im Gesamtzusammenhang des Materials die Textstelle ausreichend sinnvoll ist!
E6.3 Wenn die Explikation nicht ausreichend erscheint, bestimme neues Explikationsmaterial und durchlaufe die Analyse aufs neue (ab 3. Schritt)!

Dies soll nun wiederum am Beispiel demonstriert werden.

Beispiel:

In unserem Beispielmaterial ist eine Stelle, die bereits bei der Zusammenfassung ziemlich unklar erschien. Da berichtet Fall C (auf Seite 125 des Anhangs), er sei kein *Conferencier-Typ* und hätte es deshalb irgendwie schwerer in der Referendarzeit gehabt. Dieser Begriff des Conferencier-Typs, dessen Bedeutung auf den ersten Blick uneinsichtig ist, soll nun zum Anlaß für eine explizierende Inhaltsanalyse gemacht werden.

1. Schritt:

Die zu explizierende Textstelle ist klar bezeichnet: es handelt sich um den Begriff „Conferencier-Typ" auf Seite 125.

2. Schritt:

Zur Bestimmung der lexikalischen Bedeutung sind als relevante Nachschlagwerke moderne Lexika des Hochdeutschen heranzuziehen. Unter dem Stichwort „Conferencier" ist dabei beispielsweise zu finden: „Ansager auf der Kleinkunstbühne" (dtv-Lexikon, Bd. 3, 1966, S. 168) oder „(witzig unterhaltender) Ansager in Kabarett, Variété, bei öffentlichen und privaten Veranstaltungen" (Meyers Großes Taschenlexikon, Bd. 5, 1981, S. 5).

   Diese Bestimmung hilft jedoch nicht sehr viel weiter den Begriff im Materialzusammenhang zu verstehen.

3. Schritt/4. Schritt:

Bei der Bestimmung des zulässigen Explikationsmaterials kann zunächst im direkten Textkontext angesetzt werden. Die Phrase, innerhalb derer der Begriff gebraucht wurde, ist:

„Es ist, glaube ich, auch sehr wichtig, gerade beim Sport, da bin ich also nicht der Typ; je – möchte nicht sagen: extravertiert – je temperamentvoller einer einfach vom Typ her ist, wenn er spricht oder wenn er lebendig mit Erwachsenen umgeht oder ständig neue Ideen auf Lager hat, oder auch mal Kritik am Seminarlehrer vielleicht bringt, aber sofort in ein Bonmot gekleidet, also *Conferencier*-Typ mehr, da glaube ich, die kommen mächtig an; das ist dann irgendwie auch wieder Mentalitätssache. Wie kann man das irgendwie beurteilen oder zum Gradmesser machen?" (Fall C, S. 125).

Die Beschreibungsmerkmale, die hier genannt werden, sind:

– extravertiert (?);
– temperamentvoll, wenn er spricht;
– lebendiges Umgehen mit Erwachsenen;
– ständig neue Ideen auf Lager;
– Kritik am Seminarlehrer, in Bonmots gekleidet, bringend.

Man könnte also sagen, ein Conferencier-Typ ist ein *extravertierter, temperamentvoller, spritziger* Mensch.

   Noch eine zweite Textstelle scheint sich auf diesen Begriff zu beziehen, die im Protokoll kurz vorher steht:

„Wobei es einfach typmäßig unterschiedlich ist, glaube ich: Manchen macht es weniger aus, die spielen da mehr, ... vielleicht kann man das auch so sehen, daß die pädagogischen Fähigkeiten, daß die die schon mitbringen – wobei da aber doch die pädagogischen Fähigkeiten da doch in Anführungszeichen setzen würde – daß die eben sagen: Das muß man so machen, das muß man so machen! Dann machen die das so. Und wenn sie Glück haben, dann klappts dann auch so; und weil die es so gemacht haben, ist es dann gut. Das ist vielleicht etwas überspitzt formuliert" (Fall C, S. 125).

Obwohl die Aussage etwas wirr ist, lassen sich neue Beschreibungsmerkmale herausfiltern:

– spielt mehr;
– scheint die „pädagogischen" Fähigkeiten schon mitzubringen;
– weiß immer, was man tun muß;
– verhält sich auch danach;
– wird deshalb gut beurteilt.

Vor allem die erste Äußerung des „*Spielens*" scheint mir sehr wichtig, obwohl sie nicht weiter ausgeführt wird. Sie kann den negativen Unterton dieser eigentlich eher positiven Beschreibungsmerkmale erklären. Das „Spielen" ist hier wohl gemeint in Richtung „eine Rolle spielen", „eine Masche heraushaben, wie man sich am besten verhält" und damit eigentlich „unehrlich sein", eben nur zu spielen.

Diese Bedeutung deckt sich auch mehr mit der lexikalischen Bedeutung, denn ein Conferencier hat ja etwas mit Theaterspielen zu tun.

Die nachfolgenden Äußerungen dieser zweiten Textstelle gehen alle in Richtung eines *selbstüberzeugten* Menschen.

5. Schritt

Faßt man nun diese Beschreibungsmerkmale zu einer explizierenden Paraphrase zusammen, so ergeben sich zum einen die Merkmale:

– extravertiert
– temperamentvoll
– spritzig
– selbstüberzeugt

zum anderen das Merkmal des „Spielens". Man kann also formulieren, ein Conferencier-Typ ist jemand,

der die Rolle eines extravertierten, temperamentvollen, spritzigen und selbstüberzeugten Menschen spielt.

6. Schritt

Zur Überprüfung dieser Explikation muß die Paraphrase in den Materialzusammenhang gestellt werden. Dieser Zusammenhang findet sich kurz vor der ersten zitierten Stelle (S. 125) und kurz nach der zweiten Stelle (S. 125).

– Dem Conferencier-Typ machen die Belastungen durch den Anpassungsdruck und Erschütterung des Selbstvertrauens weniger aus.
– Der C-Typ kommt bei Seminarprüfern mehr an.
– C-Typ zu sein, ist Mentalitätssache.
– Es ist ungerecht, eine solche Mentalität mitzubeurteilen, als Gradmesser für die Beurteilung der pädagogischen Fähigkeiten zu machen.

Setzt man in diese Äußerungen die im 5. Schritt formulierte Paraphrase ein, so ergibt sich nun eine klar verständliche Aussage, ein eindeutiger Sinn.

Damit ist diese explizierende Inhaltsanalyse abgeschlossen. Es ließe sich zwar noch Zusatzmaterial über den Sprecher aus dem gesamten Interview sammeln, die Schilderung seiner Unterrichtspraxis, seiner Prüfung. Dann müßte ein neuerlicher Durchgang vollzogen werden. Dies erscheint aber nicht nötig.

So soll nun zur Beschreibung der nächsten qualitativen Technik fortgeschritten werden, der strukturierenden Inhaltsanalyse.

5.5.4 Dritte qualitative Technik: Strukturierung

Diese wohl zentralste inhaltsanalytische Technik hat zum Ziel, eine bestimmte Struktur aus dem Material herauszufiltern. Diese Struktur wird in Form eines

Kategoriensystems an das Material herangetragen. Alle Textbestandteile, die durch die Kategorien angesprochen werden, werden dann aus dem Material systematisch extrahiert.

Wenn man das Verfahren der Strukturierung ganz allgemein beschreiben will, scheinen mir einige Punkte besonders wichtig:

Die grundsätzlichen Strukturierungsdimensionen müssen genau bestimmt werden, sie müssen aus der Fragestellung abgeleitet und theoretisch begründet werden.

Diese Strukturierungsdimensionen werden dann zumeist weiter differenziert, indem sie in einzelne Ausprägungen aufgespalten werden. Die Dimensionen und Ausprägungen werden dann zu einem Kategoriensystem zusammengestellt.

Wann nun ein Materialbestandteil unter eine Kategorie fällt, muß genau festgestellt werden. Dabei hat sich ein Verfahren bewährt (vgl. Ulich u.a. 1985), Hausser/Mayring/Strehmel 1982; Hausser 1972), das in drei Schritten vorgeht:

1. Definition der Kategorien
Es wird genau definiert, welche Textbestandteile unter eine Kategorie fallen.

2. Ankerbeispiele
Es werden konkrete Textstellen angeführt, die unter eine Kategorie fallen und als Beispiele für diese Kategorie gelten sollen.

3. Kodierregeln
Es werden dort, wo Abgrenzungsprobleme zwischen Kategorien bestehen, Regeln formuliert, um eindeutige Zuordnungen zu ermöglichen.

Durch einen ersten zumindest ausschnittweisen Materialdurchgang wird erprobt, ob die Kategorien überhaupt greifen, ob die Definitionen, Ankerbeispiele und Kodierregeln eine eindeutige Zuordnung ermöglichen.

Dieser Probedurchgang unterteilt sich wie der Hauptdurchgang in zwei Arbeitsschritte. Zunächst werden die Textstellen im Material bezeichnet, in denen die Kategorie angesprochen wird. Diese „Fundstellen" (vgl. Haußer/Mayring/Strehmel (1982) können durch Notierung der Kategoriennummer am Rand des Textes oder durch verschiedenfarbige Unterstreichungen im Text bezeichnet werden. In einem zweiten Schritt wird das so gekennzeichnete Material je nach Ziel der Strukturierung (s.u.) bearbeitet und aus dem Text herausgeschrieben.

In aller Regel ergibt dieser Probedurchlauf eine Überarbeitung, eine teilweise Neufassung vom Kategoriensystem und seinen Definitionen.

Schließlich kann der Hauptmaterialdurchlauf beginnen, wieder unterteilt in die beiden Schritte der Bezeichnung der Fundstellen und der Bearbeitung und Extraktion der Fundstellen.

Die Ergebnisse dieses Durchlaufes müssen dann je nach Art der Strukturierung (s.u.) zusammengefaßt und aufgearbeitet werden.

Diese allgemeine Beschreibung einer strukturierenden Inhaltsanalyse läßt sich in ihrem Ablauf modellhaft darstellen:

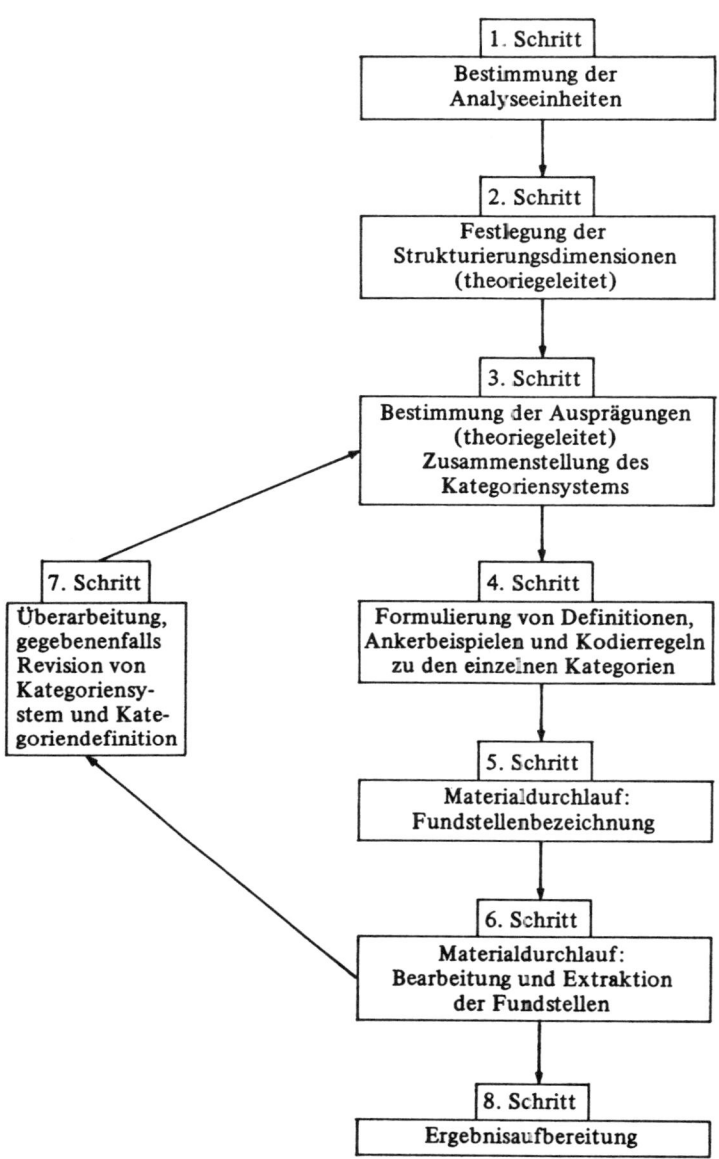

Abbildung 13: Ablaufmodell strukturierender Inhaltsanalyse (allgemein)

Dieses Modell ist jedoch noch zu allgemein, um damit konkret arbeiten zu können. Strukturierende Inhaltsanalysen können ganz verschiedene Ziele haben. Vier Formen möchte ich hier unterscheiden:

– Eine *formale Strukturierung* will die innere Struktur des Materials nach bestimmten formalen Strukturierungsgesichtspunkten herausfiltern.
– Eine *inhaltliche Strukturierung* will Material zu bestimmten Themen, zu bestimmten Inhaltsbereichen extrahieren und zusammenfassen.
– Eine *typisierende Strukturierung* will auf einer Typisierungsdimension einzelne markante Ausprägungen im Material finden und diese genauer beschreiben.
– Eine *skalierende Strukturierung* will zu einzelnen Dimensionen Ausprägungen in Form von Skalenpunkten definieren und das Material daraufhin einschätzen.

Diese vier Formen der Strukturierung lassen sich genauer beschreiben, indem der 2. Schritt (Festlegung der Strukturierungsdimension) und der 8. Schritt (Ergebnisaufbereitung) des allgemeinen Ablaufmodells strukturierender Inhaltsanalyse (vgl. Abb. 13) differenziert werden. Die mittleren Analyseschritte des Modells, die Zusammenstellung und Überarbeitung des Kategoriensystems, das Formulieren von Definitionen, Ankerbeispielen und Kodierregeln und die Bezeichnung und Bearbeitung der Fundstellen im Material bleiben bei allen vier Formen gleich; sie sind also das Kernstück jeder strukturierenden Inhaltsanalyse.
 Auf diese Formen möchte ich nun mit differenzierteren Ablaufmodellen eingehen.

5.5.4.1 Formale Strukturierung

Formale Strukturierungen haben zum Ziel, Strukturen im Material herauszuarbeiten, die das Material in einer bestimmten Weise untergliedern, zerlegen, schematisieren. So kann die Struktur von Satzkonstruktionen, die Gliederung nach thematischen Einheiten, die Argumentationsstruktur oder bei Gesprächsprotokollen die Gesprächsstruktur von Interesse sein.
 Ausgangspunkt einer formalen Strukturierung muß es sein, das Kriterium genau zu bestimmen, nach dem der Text analysiert werden soll. Dies geschieht im 2. Schritt des allgemeinen Ablaufmodells (vgl. Abb. 13). Man könnte dabei vier mögliche Kriterien unterscheiden:

– *Ein syntaktisches Kriterium*
 Die Struktur der sprachlichen Formulierungen im Material soll untersucht werden, Besonderheiten im Satzbau, Abweichungen, Brüche o.ä. sollen herausgefunden werden.

– *Ein thematisches Kriterium*
 Die inhaltliche Struktur, die Abfolge thematischer Blöcke, die inhaltliche Gliederung des Materials soll herausgearbeitet werden.

– *Ein semantisches Kriterium*
 Die Beziehung von einzelnen Bedeutungseinheiten untereinander soll rekonstruiert werden.

– *Ein dialogisches Kriterium*
 Die Abfolge einzelner Gesprächsbeiträge und Gesprächsschritte soll analysiert werden.

Nach der Bestimmung des Strukturierungskriteriums können nun einzelne Ausprägungen formuliert und durch Definitionen, Ankerbeispiele und Kodierregeln beschrieben werden. Dieses Vorgehen, der 3. bis 6. Schritt des allgemeinen Modells ist bei der letzten Strukturierungsform genauer erläutert.

Bei der Ergebnisaufbereitung (8. Schritt) einer formalen Strukturierung wird man in aller Regel zwei Schritte unterscheiden müssen: In einem ersten Arbeitsgang wird ganz eng am Material die Feinstruktur bestimmt, in einem zweiten Schritt wird versucht darin eine übergeordnete, allgemeine Struktur zu konstruieren.

Daraus ergibt sich nun folgendes Ablaufmodell:

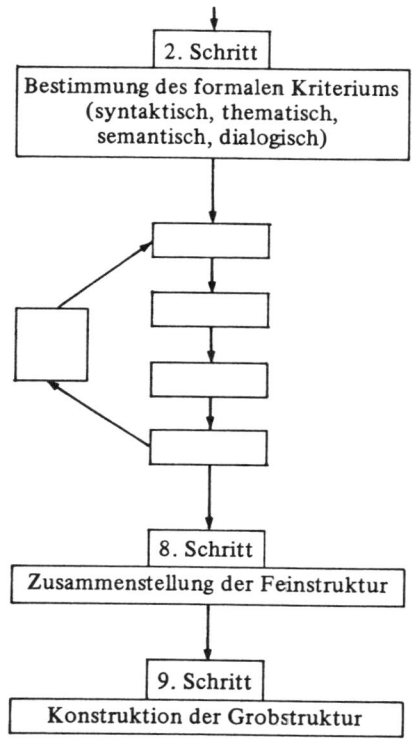

Abbildung 14: Ablaufmodell der formalen Strukturierung
(vgl. allgemeine Strukturierung, Abb. 13)

Beispiel:

Da eine formale Strukturierung unseres Beispielmaterials nicht sehr ergiebig wäre, sollen hier zwei Beispiele genannt werden, die in das Programm einer formalen Strukturierung fallen, die jedoch die zentralen mittleren Ablaufschritte nicht näher beschreiben. Auf diese Schritte soll dann mit einem eigenen Beispiel bei der vierten Form strukturierender Inhaltsanalyse eingegangen werden.

Die Theorie *semantischer Netzwerke* von Lindsay, Norman und Rummelhart (vgl. Ballstaedt 1981) ermöglicht eine extrem differenzierte Darstellung der Bedeutungsstruktur von Texten. Ohne darauf näher einzugehen, möchte ich dazu ein Beispiel anführen (Ballstaedt 1981, S. 25/26). Der zugrundegelegte Text ist folgender:

„Eine große schwarzgelbe, 14 Meter lange V-2-Rakete stand in der Wüste von New Mexiko. Leer wog sie fünf Tonnen. Als Treibstoff enthielt sie acht Tonnen Alkohol und flüssigen Sauerstoff.

Alles war bereit. Die Wissenschaftler und Generäle zogen sich auf eine gewisse Distanz zurück und kauerten hinter Erdhügeln. Zwei rote Signale leuchteten als Zeichen auf, die Rakete abzufeuern.

Mit großem Dröhnen und einer Explosion von Flammen stieg die riesige Rakete langsam und dann schneller und schneller auf. Hinter sich zog sie eine 18 Meter lange Flamme nach. Bald sah die Flamme wie ein gelber Stern aus. In wenigen Sekunden war die Rakete zu hoch, um gesehen zu werden, aber der Radar verfolgte sie, wie sie bis zu 4.800 km pro Stunde aufwärts schoß. Wenige Minuten, nachdem sie abgefeuert worden war, sah der Pilot eines Beobachtungsflugzeuges die Rakete mit einer Geschwindigkeit von 3.800 km pro Stunde zurückkommen und 64 km vom Startpunkt entfernt auf die Erde stürzen“ (Beaugrande 1980 nach Ballstaedt 1981, S. 25).

Dazu konstruierte Beaugrande folgendes semantisches Netzwerk:

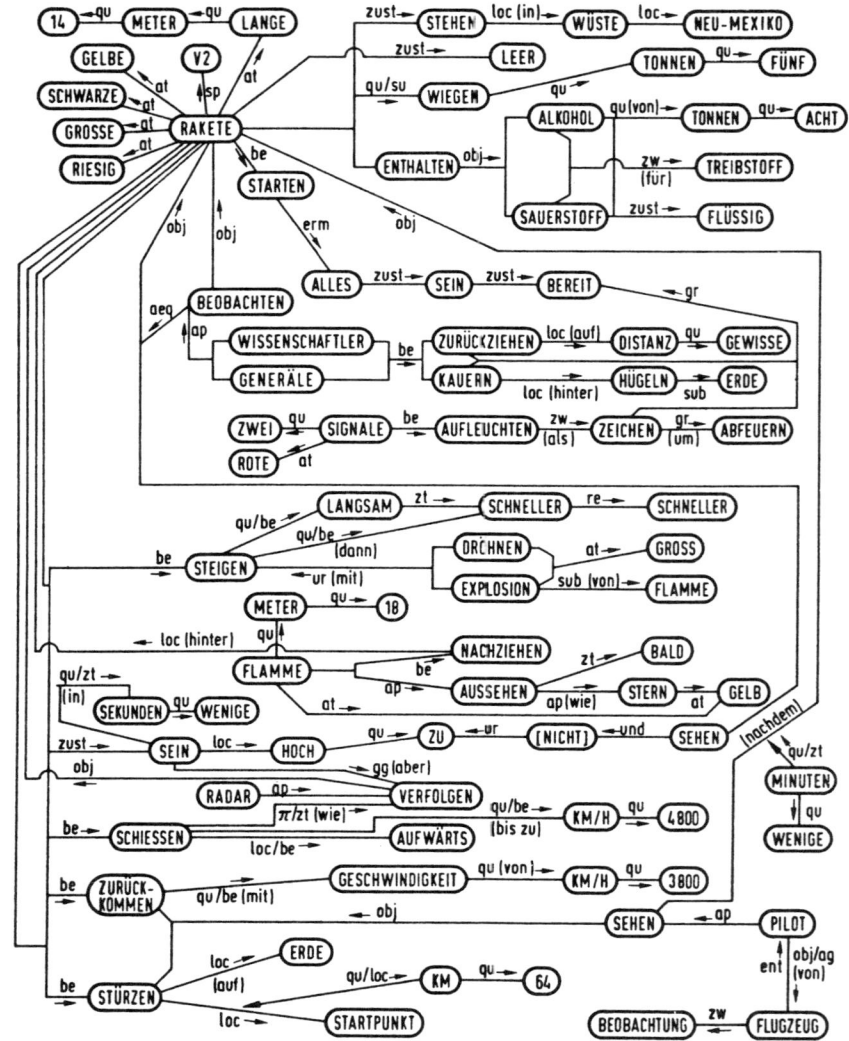

Eine Netzwerkrepräsentation des Beispieltextes (2/3) nach *Beaugrande* (1980, S. 98). Verwendete semantische Relationen: aeq: Äquivalenz; ag: Agent; ap: Apperzeption; at: Attribut; be: Bewegung/Veränderung; ent: Inhalt; erm: Ermöglichung; gg: Gegensatz; gr: Grund; loc: Ort; md: Modalität; obj: Objekt; π: Nähe; qu: Quantität; re: Rekurrenz/Wiederholung; sub: Substanz; sp: Spezifikation; ur: Ursache; zt: Zeit; zust: Zustand; zw: Zweck.

Abbildung 15: Beispiel eines semantischen Netzwerkes (zit. nach Ballstaedt 1981, S. 26)

Ausgehend von solchen Netzwerken lassen sich dann höhere Strukturen wie semantische Zentren oder logische Strukturen, Argumentationsfiguren u.v.a.m. analysieren.

Beispiele für die Analyse der *dialogischen Struktur* finden sich zahlreich im Bereich der Gesprächsanalyse oder der Konversationsanalyse (vgl. z.B. Wegner 1977; Cremers/Reichertz 1980; Ehlich/Rehbein 1979; Dittmann 1979). Analyseaspekte einer so orientierten Strukturierung hat Henne (1977) zusammengestellt.

5.5.4.2 Inhaltliche Strukturierung

Ziel inhaltlicher Strukturierungen ist es, bestimmte Themen, Inhalte, Aspekte aus dem Material herauszufiltern und zusammenzufassen. Welche Inhalte aus dem Material extrahiert werden sollen, wird durch theoriegeleitet entwickelte Kategorien und (sofern notwendig) Unterkategorien bezeichnet. Nach der Bearbeitung des Textes mittels des Kategoriensystems (s.u. die genaue Beschreibung anhand der skalierenden Strukturierung) wird das in Form von Paraphrasen extrahierte Material zunächst pro Unterkategorie, dann pro Hauptkategorie zusammengefaßt. Dabei gelten die Regeln der Zusammenfassung (vgl. 5.5.2). Folgendes Ablaufmodell ergibt sich nun daraus:

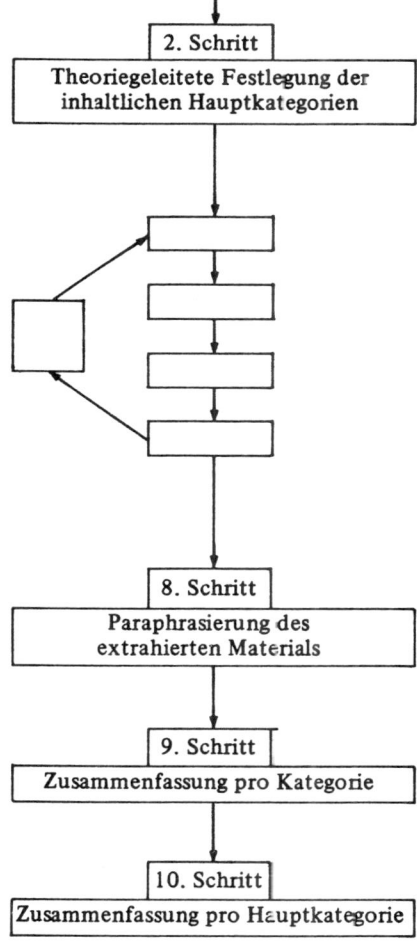

Abbildung 16: Ablaufmodell inhaltlicher Strukturierung (vgl. allgemeine Strukturierung, Abb. 13)

Wenn Manfred Niessen (1977) Gruppendiskussionen von Kursteilnehmern über die Beurteilung ihres Kurses auswertet, wendet er eine solche inhaltliche Strukturierung an, ohne jedoch genaue Verfahrensregeln anzugeben.

5.5.4.3 Typisierende Strukturierung

Typisierende Strukturierungen wollen Aussagen über ein Material treffen, indem sie besonders markante Bedeutungsgegenstände herausziehen und genauer beschreiben. Solche „Typen" müssen nicht immer Personen sein, es können auch typische Merkmale sein, allgemein markante Ausprägungen auf einer Typisierungsdimension. Diese Dimension muß zunächst definiert werden, einzelne Ausprägungen dazu formuliert werden, um dann mit diesen Kategorien das Material durchzuarbeiten (vgl. dazu die genaue Beschreibung bei Skalierender Strukturierung).

Aufgrund des Materials zu den Ausprägungen muß dann bestimmt werden, welche davon als besonders markant, als typisch bezeichnet werden soll. Dabei sind mindestens drei verschiedene Kriterien denkbar:

– besonders *extreme* Ausprägungen sollen beschrieben werden;
– Ausprägungen von besonderem *theoretischen* Interesse sollen beschrieben werden;
– Ausprägungen, die im Material besonders *häufig* vorkommen, sollen beschrieben werden.

Zu diesen typischen Ausprägungen werden dann im nächsten Arbeitsschritt besonders anschauliche, für die Ausprägung besonders repräsentative Beispiele oder *„Prototypen"* ausgewählt (vgl. zum Konzept des Prototypen Eckes/Six 1983). Diese werden schließlich in allen Einzelheiten beschrieben. Daraus ergibt sich nun folgendes Ablaufmodell:

2. Schritt

Bestimmung der Typisierungsdimension(en)

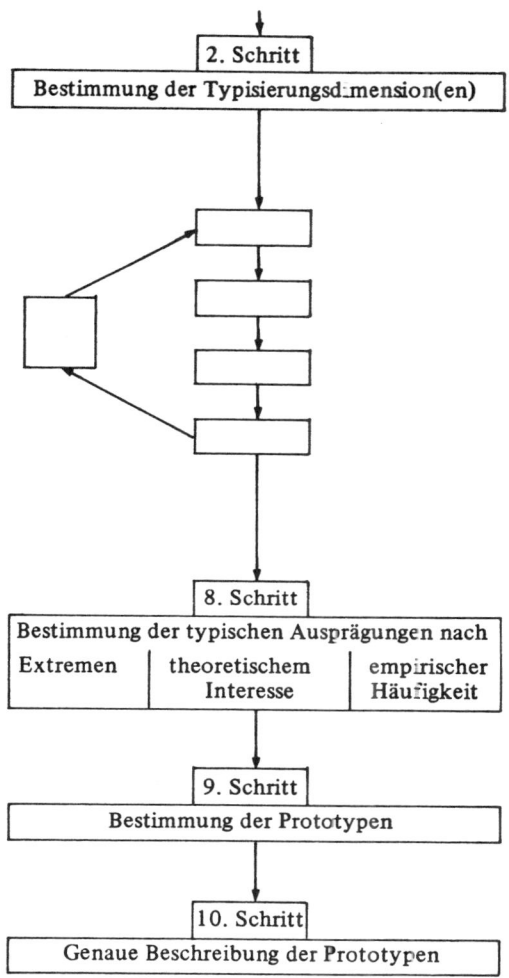

8. Schritt

Bestimmung der typischen Ausprägungen nach

Extremen	theoretischem Interesse	empirischer Häufigkeit

9. Schritt

Bestimmung der Prototypen

10. Schritt

Genaue Beschreibung der Prototypen

Abbildung 17: Ablaufmodell der typisierenden Strukturierung
(vgl. allgemeine Strukturierung, Abb. 13)

Typisierungen bergen natürlich immer Gefahren der Verallgemeinerung, der Verzerrung in sich; sie unterstellen oft Uniformität, oft Polaritäten, die im Material so nicht existieren. Deshalb sollen sie nur angewandt werden, wenn andere Analyseformen nicht in Frage kommen. Der Vorteil typisierender Strukturierungen ist, daß sie weniger aufwendig sind: Nicht die ganze Dimension, sondern nur einzelne markante Ausprägungen müssen analysiert werden; nicht alles Material, sondern nur einzelne Prototypen pro Ausprägung müssen verarbeitet werden. Bei der Beschreibung der Prototypen kann sie jedoch genauer sein als inhaltliche Strukturierungen und das ist oft von Vorteil.

5.5.4.4 Skalierende Strukturierung

Diese letzte Form strukturierender Inhaltsanalyse soll nun ausführlicher beschrieben und am Beispielmaterial demonstriert werden.

Ziel skalierender Strukturierungen ist es, das Material bzw. bestimmte Materialteile auf einer Skala (in der Regel Ordinalskala) einzuschätzen.

Solche Analysen, von Ritsert (1972) Valenz- oder Intensitätsanalysen genannt, wurden vor allem in der Kommunikationswissenschaft sehr häufig angestellt. Zeitungskommentare wurden Absatz für Absatz daraufhin eingeschätzt, ob sie Standpunkten der Regierung oder der Opposition näher stehen, um den politischen Trend der Zeitung zu messen; aber auch komplexere Techniken wie die Symbolanalyse, die Wertanalyse, die Bewertungsanalyse fallen in das Schema skalierender Strukturierung. Diese Techniken beschreiben zwar mehr oder weniger genau die Verarbeitung der Ergebnisse; wie aber die Bearbeitung des Materials konkret vor sich geht, bleibt meist unklar.

Dies müßte jedoch im Zentrum der Analyse stehen. Wie das Kategoriensystem passend auf das Material entwickelt und definiert wird und wie dann anhand dessen der Text verarbeitet wird, ist durch *qualitative* Analyseschritte zu beschreiben. Denn unter qualitativer Inhaltsanalyse sollen ja Techniken verstanden werden, die auf die Beschreibung der qualitativen Analyseschritte besonderen Wert legen, ohne dabei quantitative Schritte auszuschließen.

Vom Grundschema strukturierender Inhaltsanalyse weicht die skalierende Strukturierung nicht ab (vgl. Abb. 13). Die Strukturierungsdimensionen (2. Schritt) sind nun Einschätzungsdimensionen, sind Variablen mit Ausprägungen in mindestens ordinalskalierter Form (z.B. viel – mittel – wenig). Die Bearbeitung der Fundstellen (6. Schritt) besteht darin, daß das Material auf diesen Skalen eingeschätzt wird. Bei der Ergebnisaufbereitung (8. Schritt) werden diese Einschätzungen zusammengefaßt und schließlich nach Häufigkeiten, Kontingenzen oder Konfigurationen quantitativ analysiert.

Daraus ergibt sich nun folgendes Ablaufmodell:

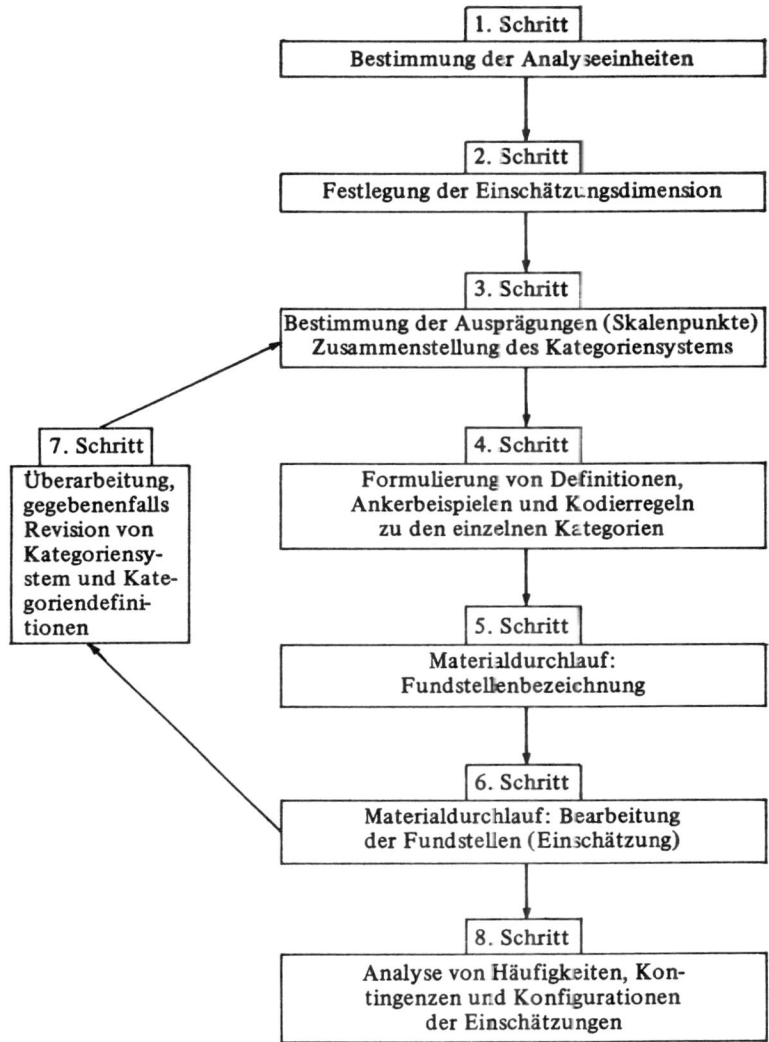

| 1. Schritt |
| Bestimmung der Analyseeinheiten |

| 2. Schritt |
| Festlegung der Einschätzungsdimension |

| 3. Schritt |
| Bestimmung der Ausprägungen (Skalenpunkte) Zusammenstellung des Kategoriensystems |

| 7. Schritt |
| Überarbeitung, gegebenenfalls Revision von Kategoriensystem und Kategoriendefinitionen |

| 4. Schritt |
| Formulierung von Definitionen, Ankerbeispielen und Kodierregeln zu den einzelnen Kategorien |

| 5. Schritt |
| Materialdurchlauf: Fundstellenbezeichnung |

| 6. Schritt |
| Materialdurchlauf: Bearbeitung der Fundstellen (Einschätzung) |

| 8. Schritt |
| Analyse von Häufigkeiten, Kontingenzen und Konfigurationen der Einschätzungen |

Abbildung 18: Ablaufmodell skalierender Strukturierung

Der grundlegende Ablauf wurde bereits am Anfang dieses Kapitels genauer beschrieben. Deshalb soll hier nur noch auf einige Punkte näher eingegangen werden.

Die Einschätzungsdimensionen müssen aus der Hauptfragestellung abgeleitet werden. Sie bezeichnen die Aspekte, auf die hin das Material skaliert werden soll. Bei skalierenden Strukturierungen werden sie als Variablen gefaßt, die verschiedene Ausprägungen annehmen können. Im Gegensatz zur inhaltlichen Strukturierung stehen diese Ausprägungen in ordinalem Verhältnis zueinander. Natürlich muß überprüft werden, ob der Text überhaupt Material zu diesen Ausprägungen liefern kann.

Bei der Formulierung der Ausprägungen, also der Skalenpunkte, kann auf die einschlägige Literatur zur Skalierung zurückgegriffen werden (z.B. Friedrichs 1973, S. 172 ff.). Besonders beachtet werden muß die Definition von Restkategorien, wie

- teils/teils oder halb/halb;
- ambivalent, mal so/mal so;
- unklar, unentscheidbar;
- weder/noch.

Die Entscheidung darüber muß im Einzelfall getroffen werden.

Die Bezeichnung der Ausprägung mit Definitionen, Ankerbeispielen und Kodierregeln ist bereits beschrieben worden (vgl. S. 83). Es empfiehlt sich, diese Bestimmungsmerkmale in einem Kodierleitfaden zusammenzufassen, der als Handanweisung für die Einschätzungen dient.

Die Fundstellen werden im Material mit Buntstiften oder mit Randnotizen bezeichnet, und zwar je nachdem, was als Auswertungseinheit bestimmt wurde.

Bei der eigentlichen Einschätzung des Materials wird der Kodierleitfaden laufend erweitert: Besonders eindeutige Zuordnungen werden als Ankerbeispiele aufgenommen, bei besonders uneindeutigen Einschätzungen werden zusätzliche Kodierregeln zur Abgrenzung der Ausprägungen formuliert.

In aller Regel wird zunächst ein Probelauf vorgenommen. Überall wo sich Anhaltspunkte ergeben, daß die Skalenpunkte falsch gewählt oder falsch definiert wurden, muß das Kategoriensystem und seine Definitionen überarbeitet werden. Danach wird der eigentliche Materialdurchlauf vollzogen.

Für die Ergebnisaufbereitung können hier keine allgemeinen Regeln angegeben werden. Sie hängt von der jeweiligen Fragestellung ab. Es kann die Häufigkeitsverteilung der Einschätzungen analysiert werden, es können Kontingenzen oder Konfigurationen von Einschätzungen untersucht werden.

Daraus ergeben sich nun folgende Interpretationsregeln:

S1: *Festlegung der Einschätzungsdimensionen*
S1.1 Leite die Einschätzungsdimensionen aus der Hauptfragestellung ab!
S1.2 Formuliere die Einschätzungsdimensionen als Variablen, die verschiedene skalierbare Ausprägungen annehmen können!
S1.3 Begründe, daß der Text dazu Material liefern kann!

S2: *Bestimmung der Ausprägungen*
S2.1 Formuliere die Ausprägungen als Skalenpunkte pro Variable, die in mindestens ordinaler Beziehung untereinander stehen!
S2.2 Wähle dabei einen Differenziertheitsgrad, der sowohl der Fragestellung als auch dem Material angemessen ist!
S2.3 Beachte vor allem die Definitionen von Restkategorien (halb/halb; teils/teils; ambivalent; unklar; ...)!

S3: *Formulierung von Definitionen*
S3.1 Formuliere zu den Ausprägungen Definitionen, die den Inhalt der jeweiligen Ausprägungen genau bezeichnen!
S3.2 Formuliere zu den Ausprägungen Ankerbeispiele, die als typische Materialstellen für die Kodierung der jeweiligen Ausprägung gelten können!
S3.3 Formuliere Regeln, wie bei Grenzfällen zwischen den einzelnen Ausprägungen zu kodieren ist!
S3.4 Stelle daraus einen Kodierleitfaden zusammen!

S4: *Fundstellenbezeichnung*
S4.1 Bezeichne alle Textstellen, die Material zur Einschätzung auf den Dimensionen liefern, durch Unterstreichungen oder Randnotizen!
S4.2 Beachte dabei, was als Auswertungseinheit bestimmt wurde!

S5: *Bearbeitung der Fundstellen*
S5.1 Vollziehe die Einschätzungen pro Auswertungseinheit aufgrund des Fundstellenmaterials anhand des Kodierleitfadens!
S5.2 Bei besonders eindeutigen Kodierungen übernimm die Fundstelle als Ankerbeispiel in den Kodierleitfaden!
S5.3 Bei besonders uneindeutigen Kodierungen triff eine eindeutige Entscheidung und formuliere eine Kodierregel für ähnliche Fälle! Übernimm diese Kodierregel in den Kodierleitfaden!

S6: *Überarbeitung des Kategoriensystems*
S6.1 Sobald sich Anhaltspunkte ergeben, daß die Ausprägungen falsch gewählt oder falsch definiert worden sind, revidiere sie!
S6.2 Durchlaufe in diesem Falle die Schritte 3 bis 6 aufs neue!

Dieses Verfahren der skalierenden Strukturierung soll nun anhand des Beispieltextes demonstriert werden.

Beispiel

Als Hauptfragestellungen für die Analyse des Beispielsmaterials wurden (vgl. Punkt 5.3) zwei Leitfragen aufgestellt, auf deren zweite nun mit einer strukturierenden Inhaltsanalyse eingegangen werden soll: *Hat der „Praxisschock" das Selbstvertrauen des einzelnen beeinflußt?* Im Rahmen des DFG-Projektes „Lehrerarbeitslosigkeit", dem das Material entnommen ist, wurde dieser Fragestellung nachgegangen, um eventuell auf eine generalisierte Kontrollerwartung beim einzelnen zu schließen, die sich auch in der gegenwärtigen Situation (der Arbeitslosigkeit) auswirken könnte (vgl. Ulich u.a. 1985). Mit der hier vorgeschlagenen Operationalisierung soll der Versuch gemacht werden, retrospektiv erhobenes biographisches Material systematisch nach sehr komplexen psychologischen Variablen auszuwerten. Ob das inhaltlich gelungen ist, bleibt noch zu überprüfen, da es sich bislang nur um einen ersten Versuch handelt. Als Beispiel für die Methode strukturierender Inhaltsanalyse kann es jedoch sehr gut dienen.

1. Schritt: Bestimmung der Analyseeinheiten

Bei der Bestimmung der *Auswertungseinheit* geht es darum, wann und wie oft im Material die Einschätzung (Beeinflussung des Selbstvertrauens) vorgenommen werden soll. Zunächst bietet sich an, als Auswertungseinheit den einzelnen Fall zu bestimmen, also vier Einschätzungen vorzunehmen. Das erscheint aber etwas zu grob.

Wenn unter Selbstvertrauen die subjektive Gewißheit verstanden werden soll, mit Anforderungen in der biographischen Entwicklung gut zurechtzukommen (vgl. 2. Schritt), dann ist es eine gute Möglichkeit, die Einschätzung von Selbstvertrauen an solchen im Material geschilderten Anforderungen festzumachen. Damit wäre eine viel konkretere Auswertungseinheit gefunden: Immer wenn Anforderungen geschildert werden, die durch den Wechsel Universität – Referendariat („Praxisschock") beim einzelnen ausgelöst wurden, gilt dies als Auswertungseinheit.

Die Kodiereinheit als kleinster Textbestandteil, der unter eine Kategorie fallen kann, kann nun danach bestimmt werden: Sobald innerhalb einer Auswertungseinheit das Material darauf schließen läßt, daß die Anforderung mit Selbstvertrauen bewältigt wurde (Definition dazu im 3. und 4. Schritt), kann dies kodiert werden. Rein formal kann das bereits eine Proposition als minimaler Bedeutungsträger sein.

Als Kontexteinheit schließlich gilt alles Material, was zur jeweiligen Anforderung bei einem Fall vorliegt.

2. Schritt: Festlegung der Einschätzungsdimension(en)

Selbstvertrauen, ein Konstrukt, das dem der generalisierten Kontrollerwartung (Rotter 1966; 1975) eng verwandt ist, soll hier erschlossen werden aus der Bewältigung von Anforderungen in der Biographie des einzelnen. Selbstvertrauen soll die subjektive Gewißheit heißen, mit solchen Anforderungen gut fertig zu werden.

Das allgemeine Selbstvertrauen setzt sich also aus einzelnen situationsspezifischen Werten zusammen. Dieses situationsspezifische Selbstvertrauen ist die Einschätzungsdimension unserer Analyse. Um bei der Schilderung einer Anforderung im Material auf Selbstvertrauen zu schließen, muß noch genauer definiert werden. Dabei kann man eine kognitive, emotionale und eine Handlungskomponente unterscheiden: Selbstvertrauen heißt danach:

— sich über die Art der Anforderung und deren Bewältigung klar zu sein (kognitive Komponente);
— beim Umgang mit der Anforderung ein positives, hoffnungsvolles Gefühl zu haben (emotionale Komponente);
— die Gewißheit, die Anforderung bewältigen zu können (Handlungskomponente).

3. Schritt: Bestimmung der Ausprägungen

Da das Material nur sehr dürftige Informationen über das Selbstvertrauen des einzelnen hergibt, soll hier eine einfache Skalierung mit drei Ausprägungen (hoch – mittel – niedrig) vorgenommen werden. Für alle Fälle, in denen eine eindeutige Kodierung in eine dieser drei Ausprägungen nicht möglich ist, soll eine Restkategorie („nicht erschließbar") geschaffen werden. Daraus ergeben sich nun folgende Kategorien:

K1: hohes SV   K3: niedriges SV
K2: mittleres SV   K4: SV nicht erschließbar

4. Schritt: Definitionen, Ankerbeispiele und Kodierregeln

Das Kernstück der strukturierenden Inhaltsanalyse, die genaue Beschreibung der Kategorien durch Definitionen, Ankerbeispiele und Kodierregeln, bereits im allgemeinen Teil erläutert, soll hier nun gleich in Form des Kodierleitfadens dargestellt werden. Bei den Ankerbeispielen wird dabei aber auch Material aus anderen Protokollen zum gleichen Thema im Rahmen des Projektes „Lehrerarbeitslosigkeit" herangezogen. (Tab. siehe Seite 97)

5. Schritt: Fundstellenbezeichnung

Die Fundstellenbezeichnung, der erste Materialdurchgang, muß sich an die Definition der Auswertungseinheit halten (vgl. 1. Schritt). Überall, wo Anforderungen durch die Referendarzeit im Material geschildert werden, muß dies markiert werden. Innerhalb dieser Textstellen muß dann das Material unterstrichen werden, das eine Einschätzung des Selbstvertrauens zuläßt. Im Beispieltext ist dies geschehen (vgl. Anhang). Dabei wurden die einzelnen Veränderungen fortlaufend durchnumeriert.

6. Schritt: Einschätzung

Hier die Darstellung der einzelnen Kodierungen:

	Anforderung	Kodierung	Fundstellen (S.)
1	Enttäuschungen über Schüler	Selbstvertrauen hoch	119 m, 120 m
2	Vorbereitungs-Probleme	SV hoch	119 m, 120 m
3	„Jetzt komm ich"-Einstellung abgelegt	SV hoch	120 u, 121 o 121 m, 122 m
4	Abhängigkeit vom Seminar-lehrer	SV niedrig	122 u, 123 o 123 u, 124 m 126 o
5	Keine Übung gehabt	SV mittel	125 u, 126 m 126 u, 127 o
6	Druck vom Seminar-lehrer	SV niedrig	125 o, 126 m
7	Von Schülern nicht akzeptiert	SV mittel	125 u, 126 m 126 u

Zur Verdeutlichung sollen diese Einschätzungen nun kurz begründet werden. Dies ist natürlich bei umfangreicheren Analysen nicht mehr möglich.

Zu 1 SV hoch	Enttäuschungen auf Großstadtprobleme zurückgeführt (Klarheit über Anforderung); selbst keine Schwierigkeiten im Umgang mit den Enttäuschungen gehabt; gute Beziehung zu den Schülern gehabt; Spaß auf beiden Seiten (positives Gefühl; Zufriedenheit mit Bewältigung);
Zu 2 SV hoch	Arbeit wurde durch Freude am Beruf entschädigt (positives Gefühl; keine Unklarheit); keine Hinweise, daß Vorbereitungsarbeit nicht bewältigt wurde;
Zu 3 SV hoch	Aufgabe der „Jetzt komm ich!"-Einstellung hat keine Probleme gemacht, weil sehr flexibel und anpassungsfähig (Zufriedenheit und Bewältigung); sehr gutes Verhältnis zu Schülern gehabt (positives Gefühl);
Zu 4 SV niedrig	Abhängigkeit extrem konfliktvoll; Unsicherheit, ob es auch an eigener Sensibilität liegt (wenig Klarheit); bis zum Schluß ein Problem; hat das eigene Ich angekratzt (Unzufriedenheit mit Bewältigung, negatives Gefühl);
Zu 5 SV mittel	Zunächst Chaos, belastend; mit wachsender Lehrerfahrung besser mit Klasse ausgekommen (Klarheit über Anforderung, kein völlig negatives Gefühl); Belastung aber bis zum Schluß der Seminarzeit; kein Hinweis auf eigenständige Bewältigung;
Zu 6 SV niedrig	Belastung bis zum Schluß der Seminarzeit; Selbstvertrauen durch Kritik zerstört (negatives Gefühl, Unzufriedenheit mit Bewältigung); Unklarheit, was dagegen zu tun sei;
Zu 7 SV mittel	Zunächst Chaos, belastend; mit wachsender Lehrerfahrung besser mit Klasse ausgekommen (Klarheit über Anforderung, kein völlig negatives Gefühl); Belastung aber bis zum Schluß der Seminarzeit; kein Hinweis auf eigenständige Bewältigung;

Die Richtigkeit der Einschätzungen kann dann durch den Einsatz mehrerer Kodierer gesteigert werden (vgl. Kap. 6).

Variable	Ausprägung	Definition	Ankerbeispiele	Kodierregeln
Selbstvertrauen	K1: hohes Selbstvertrauen	Hohe subjektive Gewißheit, mit der Anforderung gut fertig geworden zu sein, d.h. – Klarheit über die Art der Anforderung und deren Bewältigung; – Positives, hoffnungsvolles Gefühl beim Umgang mit der Anforderung; – Überzeugung, die Bewältigung, der Anforderung selbst in der Hand gehabt zu haben.	„Sicher hat's mal ein Problemchen gegeben, aber das wurde dann halt ausgeräumt: entweder oder vom Schüler, je nachdem, wer den Fehler gemacht hat – Fehler macht ja ein jeder." „Ja klar, Probleme natürlich, aber zum Schluß hatten wir ein sehr gutes Verhältnis, hatten wir uns gut zusammengerauft."	Alle drei Aspekte der Definition müssen in Richtung ‚hoch' deuten, zumindest soll kein Aspekt auf nur mittleres Selbstvertrauen schließen lassen; sonst Kodierung ‚mittleres Selbstvertrauen'
	K2: mittleres Selbstvertrauen	Nur teilweise oder schwankende Gewißheit mit der Anforderung gut fertig geworden zu sein	„Ich hab mich da einigermaßen durchlaviert, aber es war oft eine Gratwanderung." „Mit der Zeit ist es etwas besser geworden, aber ob das an mir oder an den Umständen lag, weiß ich nicht." „Ich bin zum Schluß mit dem Seminarlehrer ganz gut ausgekommen, aber ich hatte kein gutes Gefühl dabei – ich hab mich halt angepaßt, untergeordnet."	Wenn nicht alle drei Aspekte auf hohes Selbstvertrauen oder niedriges Selbstvertrauen schließen lassen
	K3: niedriges Selbstvertrauen	Überzeugung, mit der Anforderung schlecht fertig geworden zu sein, d.h. – wenig Klarheit über die Art der Anforderung; – negatives, pessimistisches Gefühl beim Umgang mit der Anforderung; – Überzeugung, den Umgang mit der Anforderung nicht selbst in der Hand gehabt zu haben.	„Das hat mein Selbstvertrauen getroffen; da hab ich gemeint, ich bin eine Null oder ein Minus. "	Alle drei Aspekte deuten auf niedriges Selbstvertrauen, sonst Kodierung ‚mittleres Selbstvertrauen'
	K4: Selbstvertrauen nicht erschließbar	Über die Anforderungen wird zwar berichtet, aber die Art des Umgangs bleibt unklar.	„Das war am Anfang schon schwierig, aber mit der Zeit hat sich das dann gegeben.	

7. Schritt: Überarbeitung

Die Überarbeitung des Kategoriensystems und seiner Definitionen kann hier nicht eigens dargestellt werden. Die hier vorgeführte Fassung ist aufgrund mehrerer Probedurchläufe entstanden.

8. Schritt: Ergebnisaufbereitung

Die an dem Beispielmaterial vorgenommenen Kodierungen lassen sich noch nicht weiter verarbeiten. Erst in Zusammenhang mit weiterem Fallmaterial ist dies möglich. Im Rahmen des Projekts „Lehrerarbeitslosigkeit" wird noch ausführlicher nach den Praxiserfahrungen der Lehrer gefragt, aber auch Material zu weiteren biographischen Ereignissen erhoben. Auch dieses Material wird in Richtung Selbstvertrauen eingeschätzt. Dabei ist geplant, die geschilderten biographischen Anforderungen einzelnen Bereichen zuzuordnen und nachzuprüfen, ob innerhalb dieser Bereiche beim jeweiligen Fall ähnliche Kodierungen vorgenommen wurden (nach Häufigkeit). Dies kann dann Anlaß geben, auf ein allgemeines Selbstvertrauen der Person in einem Bereich zu schließen.

Mit diesem Beispiel einer strukturierenden Inhaltsanalyse soll nun der Abschnitt über konkrete Techniken abgeschlossen sein.

6. Qualitative Inhaltsanalyse mit dem Computer

Die Inhaltsanalyse mit ihrem sehr systematischen Vorgehen eignet sich besonders für eine Umsetzung am Computer. Dabei stehen wegen ihrer leichten Anwendbarkeit seit einigen Jahren PC-Programme im Mittelpunkt des Interesses. Gerade auf dem Gebiet qualitativer Forschung mit PC-Unterstützung hat sich einiges getan (Pfaffenberger 1988; Tesch 1990; Fielding & Lee 1991; Huber 1992).

Zunächst soll aber kurz auf die Ansätze quantitativer Inhaltsanalyse mit dem PC eingegangen werden, um zu zeigen, daß auch hier qualitative Ansätze eine wichtige Weiterentwicklung bedeuten können.

6.1 PC-Programme für quantitative Inhaltsanalyse

Hier wird in der Regel mit sogenannten Wörterbüchern gearbeitet (vgl. Klingenmann 1982; Lißmann 1989; Mohler, Züll & Geis 1989). Bestimmte Begriffe werden mitsamt ihren Beugungsformen zu einem Kategoriensystem zusammengestellt; der PC soll diese Begriffe im Text wiedererkennen und auszählen. Das Programm TEXTPACK (vgl. Mohler 1985) tut dies beispielsweise, indem zunächst die Kategorienhäufigkeiten bzw. Kategorienreihenfolge pro Absatz des zu bearbeitenden Materials dargestellt werden und dann weiterverarbeitet werden können (z.B. mit SPSS). So wurden z.B. Verbalzeugnisse in den Grundschulklassen analysiert und gezeigt, daß zu 90% die „Formulierungshilfen" des Kultusministeriums von den Lehrern übernommen wurden und so wohl wenig eine individuumspezifische Beurteilung gelungen ist (Scheerer & Tarnai 1989).

Ein solches Vorgehen eignet sich jedoch nur für ganz spezifische Fragestellungen. Etwas komplexer gehen hier Ansätze vor, die theoriegeleitet Überkategorien bilden. So definierte Guski (1986) die Kategorie „dogmatischer Stil" in seinem Material (Beschwerdebriefe) über die Verwendung von Wörtern wie: „ist", „kein", „Gesetz", „nur", „muß", „niemals", „alles" usw. oder die Kategorie „Sprachkompetenz" über die Zahl der verwendeten Fremdwörter und die Zahl der Rechtschreibfehler (vgl. auch die Versuche der inhaltsanalytischen Meßung der Ideologiegehalte von Texten bei Vorderer & Groeben 1987). Solche Zuordnungen erscheinen oft gewagt, oft zu simpel, zu wenig theoretisch fundiert. Dazu kommen die klassischen Fehlerquellen wörterbuchgeleiteter Begriffsauszählungen:

- die Mehrdeutigkeit von Begriffen (z.B. „wahnsinnig" als umgangssprachlicher Superlativ oder psychische Störung betreffend);
- die inhaltliche Färbung von Begriffen durch den Kontext;
- die Extensionsbestimmung durch den Kontext (bei „keine Angst", „wenig Angst" und „viel Angst" wird jeweils einmal „Angst" gezählt);
- der inhaltliche Bezug des gezählten Begriffes (z.B. bei „Ich habe Angst vor X" oder „X hat Angst vor mir" wird jeweils einmal „Angst" gezählt);

- das Problem substitutiver Wörter (z.B. bei „Ich habe davon nichts gemerkt" weiß der Computer nicht, worauf sich „davon" bezieht);
- Dialektfärbungen (bei Interviewprotokollen regelmäßig anfallend) müssen sehr aufwendig umgearbeitet werden.

Es gibt zwar Versuche, solche Kontexteinflüsse zu kontrollieren (KWIC Keyword-in-Context-Programm; vgl. Schlögell 1989). Dabei wird eine Liste der „Fundstellen" pro ausgezähltem Begriff erstellt. Damit läßt sich das Problem jedoch nur erkennen, nicht aber beseitigen.

Zusammenfassend kann man also sagen, daß die PC-Programme der vorwiegend quantitativen Inhaltsanalyse nur für wenige Fragestellungen aussagekräftige Ergebnisse bringen und einige problematische Annahmen implizieren. Ein interpretativerer Zugang zum Material ist hier schwer möglich. Der Grundgedanke, daß die Kodierung, die Zuordnung einer Auswertungskategorie zu einer Textstelle, nicht automatisch vorgenommen, sondern – als interpretative Leistung – vom Auswerter vollzogen wird, läßt sich hingegen in den neueren Ansätzen qualitativer Analyse am PC verwirklichen.

6.2 PC-Programme für qualitative Inhaltsanalyse

Hier sind verschiedene Ansätze versucht worden, die man nach einer Systematik von Brent (1984) in drei Gruppen unterteilen könnte:

Nutzung des Textverarbeitungsprogramms

Bereits innerhalb des Textverarbeitungsprogramms (WORD PERFECT, WORD, WORD STAR) sind hilfreiche Funktionen möglich, wie das Ausschneiden und Verschieben einzelner Textpassagen (Blockfunktion), das Suchen von bestimmten Wörtern oder Wortteilen im Text, das Schreiben von Kommentaren mit geteiltem Bildschirm auf einer zweiten Textebene und sogar das Kodieren, indem im Text am Anfang und am Ende der zu kodierenden Textstelle Kodes mit voran- und nachgestellten Sonderzeichen ($ oder < >) eingefügt werden. Der Text ist dann wahlweise auch ohne diese Kodierungen wiedergebbar. Daß auf diese Weise eine zusammenfassende qualitative Inhaltsanalyse bereits möglich ist, zeigt das folgende Beispiel (s. Abb. S. 102).

Allerdings sind strukturierende Inhaltsanalysen hier nicht mehr sehr praktikabel, die Kodierung mit Sonderzeichen im Text ist sehr unkomfortabel.

Arbeiten mit Datenbankprogrammen

Hier können die bestimmten Textstellen zugeordneten Kodierungen außerhalb des Textes in einer separaten Datenbank organisiert werden. Dadurch werden Operationen auf der Kategorienebene möglich. Verarbeitungskapazität und Geschwindigkeit der Operationen erhöhen sich stark. Ein Beispiel dafür ist das Programm MAX (Kuckartz 1988). Mit seiner Hilfe können am PC bis zu 1000 Textdokumente à 1000 Seiten und mit bis zu 999 Schlagworten (Kategorien) kodiert werden. Das Material kann nach Themen geordnet und ausgewertet werden; es können Kodierungen vorgenommen werden, die zu einer Kodierung gehörigen Textstellen können selektiert werden; Suchfunktionen können verwendet werden; die Kodierungen lassen einen problemlosen Datentransfer zu Statistik-Programmen zu. Nachteile sind hier jedoch, daß man bei der Kodierung oder Verschlagwortung den jeweiligen Text nicht am Bildschirm sehen kann (keine Fenster-

```
  2 ment irgendetwas ab, wo Du also nicht Lehrer sein kannst?
  3 I.: Ja. Mir geht eine ganze Menge ab, muß ich sagen. Die zwei
  4 Jahre Referendarzeit waren für mich eigentlich - angenehm ist
  5 der falsche Ausdruck - eine Befriedigung für mich; und ich
  6 hab es auch gern gemacht. Und trotzdem war ich erstmal ganz
  7 froh, daß es mal weg war, daß ich also eine Art Urlaub machen
  8 konnte. Aber auf der anderen Seite möchte ich eigentlich
  9 schon gern jetzt als Lehrer arbeiten. Und dazu kommt das
```

A: ÖWILLI   Txt 1 S 1 Z 3,39c Pos 2,54c

```
Ort  Kategorie                    Generalisierung           Redukt.
===  ========================     =====================     =======
1.3  Es geht mir eine Menge       Es geht einem eine
     ab, jetzt nicht mehr         Menge ab                  Verlust
     Lehrer zu sein (1)                                     Befried.
---  ------------------------     ---------------------     Beruf
1.5  Lehrertätigkeit in Refe-     Befriedigung durch
     rendarzeit war befr. (2)     den Beruf fehlt           --------
---  ------------------------     ---------------------     Position
```

A:ÖZ.WILL   Spl 1 Txt 2 S 1 Z 8,04c Pos 2,54c

Zusammenfassende qualitative Inhaltsanalyse mit einem Textverarbeitungsprogramm (WORD PERFECT)

technik) und daß man nur zeilenweise kodieren bzw. verschlagworten kann. Darüberhinaus bietet das Programm nicht die Möglichkeit, interpretierende Kommentare oder „Memos" (und damit in der Inhaltsanalyse Zusammenfassungen oder Kodierleitfäden) einzelnen Textstellen zuzuordnen. Deshalb sind auch hier die Techniken qualitativer Inhaltsanalyse nicht in vollem Umfang umsetzbar.

In einer Programmiersprache eigens entwickelte Programme

Hier werden komplexe Auswertungsstrategien direkt auf das Auswertungskonzept hin entwickelt. Ein Beispiel dafür ist die Analyse Qualitativer Daten (AQUAD) von Huber (1992), ein in PROLOG geschriebenes PC-Programm. Hier können Kodierungen einzelnen Textstellen zugeordnet (allerdings wieder nur zeilenweise) und dann Sequenzen, Cluster, Hierarchien, Überschneidungen der Kodierungen überprüft werden. Es sind hier Zusammenhänge zwischen Kodierungen (im Sinne einer Hypothesentestung) untersuchbar. Dabei wird gesucht, ob beispielsweise zwei Kodes überzufällig häufig im Abstand von z.B. 10 Zeilen im Material kodiert wurden. Allerdings birgt dieses Verfahren Fehlerquellen, denn der Variablenzusammenhang wird hier formal (gemeinsames Auftauchen innerhalb von x Zeilen) und nicht inhaltlich-interpretativ definiert.

Das Programm enthält darüberhinaus die Möglichkeit, Kommentare (Memos im Sinne der „grounded theory"; vgl. Strauss 1987) einzelnen Textstellen zuzuordnen (allerdings nur bis zu 10 Zeilen Kommentartext, das ist für eine inhaltsanalytische Nutzung zu wenig).

Besondere Möglichkeiten bietet hier das von einer interdisziplinären (Psychologie, Informatik, Linguistik) Arbeitsgruppe „Archiv für Technik, Lebenswelt und Alltagssprache" an der TU Berlin entwickelte PC-Programm ATLAS/ti. Die Berliner Arbeitsgruppe nahm eine Bedarfsanalyse für PC-unterstützte Textinterpretation bei deutschen

Forschungsinstituten vor (Böhm 1989) und konstruierte danach ein Programm für die Bedürfnisse des Verfahrens des Theoretischen Kodierens nach Glaser und Strauss (Strauss 1987), der Globalauswertung nach Legewie (Legewie, Wiedemann & van Diepen 1988) und eben der qualitativen Inhaltsanalyse. Für die qualitative Inhaltsanalyse am PC bietet es im Moment die umfassendsten und komfortabelsten Möglichkeiten. So soll darauf nun näher eingegangen werden.

Der Text wird mit der üblichen Textverarbeitung nach vorher festgelegten Transkriptionsregeln geschrieben, im ASCII-Format gespeichert und mit dem Suffix „.ASC" versehen. So kann das ATLAS/ti-Programm ihn als Protokolltext zur Auswertung laden (eine allgemeine inhaltliche Einführung in die ATLAS-Prozeduren wird von Böhm [1991] gegeben; eine technische Einführung in ATLAS/ti gibt Muhr [1991]).

Zusammenfassende qualitative Inhaltsanalyse mit ATLAS/ti

Der Grundgedanke war ja hier das schrittweise Reduzieren des Materials nach vorher festgelegten Abstraktionsniveaus, wobei nun das wesentliche Hilfsmittel die Zusammenfassungsmaske, also die Zusammenfassung in Spaltenschreibweise, darstellt. Der Vorteil des ATLAS/ti-Programms ist nun, daß in der Fenstertechnik gleichzeitig das Protokoll und die Zusammenfassungsmaske eingeblendet und bearbeitet werden können. Das konkrete Vorgehen stellt sich so dar (s. Abb. S. 104):

Zunächst wird der Text geladen. Wenn der gesamte geladene Text zusammengefaßt werden soll, so wird ein Kommentar zu einem freien Kode erzeugt (NEU-Ikone im Kodefeld mitte rechts). Werden nur Teile des Textes zusammengefaßt, so werden diese zunächst markiert und dann mit einem Kode versehen (Primärtext-Ikone am linken Bildschirmrand). Der Name des Kodes wird am besten mit dem Suffix „.ZUS" und nun mit einem Kommentar versehen (Mausrechtsklick im Kodefenster), der als eigenes Fenster über dem zusammenzufassenden Text erscheint.

Im folgenden Beispiel sind Interviewausschnitte von mehreren Fällen zur Frage nach dem subjektiven Glückserleben als Primärtexte zusammengefaßt worden. Im Kommentarfenster wurde die Zusammenfassung erstellt, die links die durchnumerierten Paraphrasen, in der mittleren Spalte die erste Reduktion und in der rechten Spalte die zweite Reduktion enthält. In dieser dritten Spalte sind aus den Ausschnitten mehrerer Interviews sieben Glücksfaktoren extrahiert worden, was das Ziel der Zusammenfassung war.

Hier kann man nun im Kommentarfenster (dunkel getönt) die Zusammenfassung weiterschreiben (auch rechts eine weitere Spalte anfügen, wenn das Abstraktionsniveau weiter heraufgesetzt werden soll) und verändern. Gleichzeitig kann man jederzeit im Ausgangsmaterial (helles, großes Hintergrundfenster) blättern, es langsam oder schnell vor- oder zurückspulen (Mausrechtsklick, halten und an den oberen oder unteren Protokollrand anstoßen).

Explizierende qualitative Inhaltsanalyse mit ATLAS/ti

Zu einer fraglichen Stelle im Material, das auf den Primärtextbildschirm im Programm geladen wurde, wird ein Kode vergeben (Primärtext-Ikone „Offen Kodieren" am linken Rand, vierte von unten) und der Kode am besten mit der Nachsilbe „-EX" versehen. Dann wird, je nach der Explikationsregel, zusätzliches Material unter dem gleichen Kode kodiert (Axiales Kodieren, fünfte Ikone von unten, am linken Rand); dabei werden eventuell Suchfunktionen (im Primärtext-Menue oder besser gleich Auto-Kodierung im Kodemenue unter „Sonstiges") benutzt. (Auch komplexere Suchen mit „Wildcards" und „oder"-Verbindungen sind möglich!)

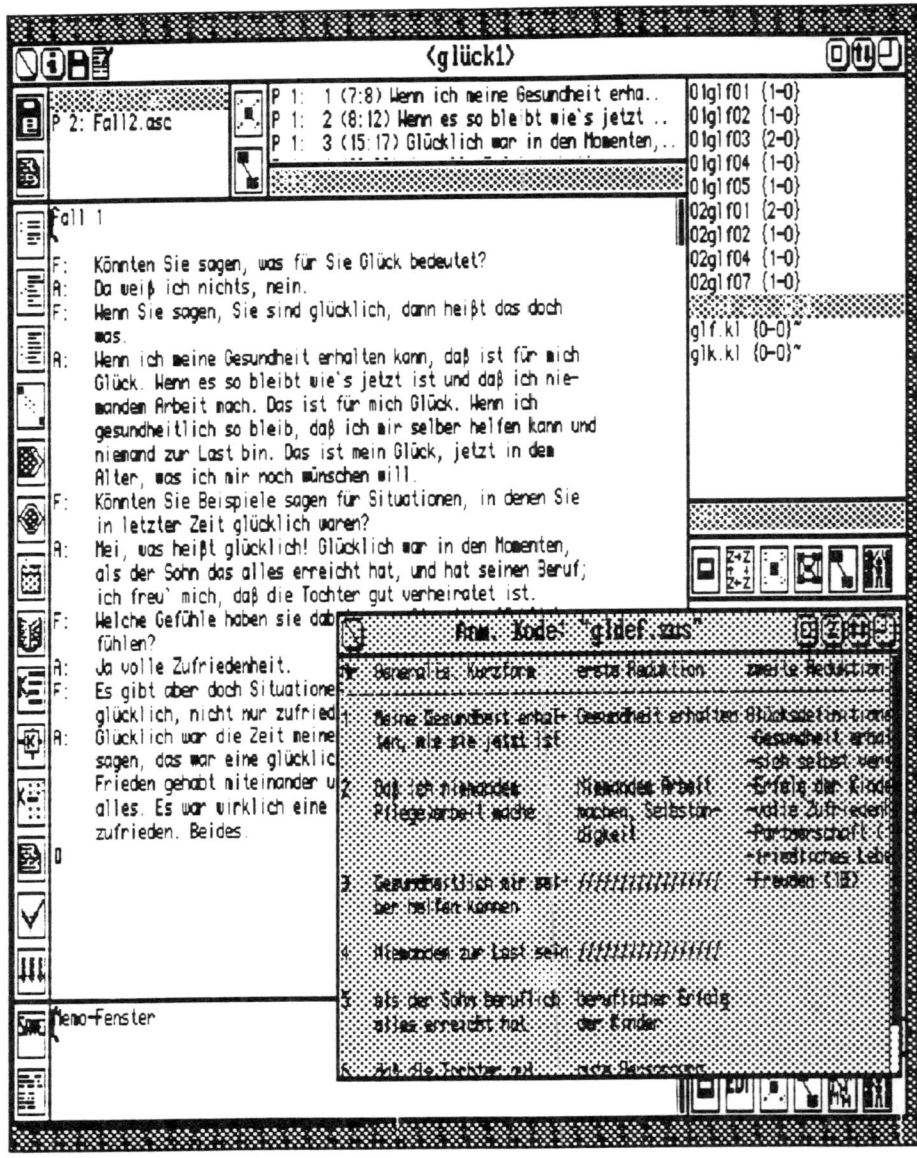

Zusammenfassende qualitative Inhaltsanalyse in ATLAS/ti

Schließlich wird zum Kode ein Kommentar eröffnet, wie das bei der Zusammenfassung beschrieben wurde. Hier kann folgende Maske eingesetzt werden (s. Abb. S. 99).

Das Bild, das dann im ATLAS/ti-Programm entsteht, ist ganz ähnlich dem der Zusammenfassung.

104

```
Explikationsproblem:       ...... .........  ........ .... ..
                           ....... ......... .. ..........
```

Zitat- nr.	Paraphrase des Explikationsmat.	Kontext	Interpretation
P1	....	.... ..	... .
P2	....	....	....

Explikationsmaske

Strukturierende qualitative Inhaltsanalyse mit ATLAS/ti

Bei der Umsetzung in ATLAS/ti muß zunächst unterschieden werden, um welche Art der Strukturierung es sich handelt, bevor dann der Zentralpunkt des Verfahrens, das Arbeiten mit dem Kodierleitfaden, behandelt wird.

Formale Strukturierung

Der Grundgedanke ist hier, daß aus dem Text bestimmte Bestandteile nach einem formalen, vorher festgelegten Kriterium herausgefiltert werden. Im ATLAS/ti-Pogramm werden nun Kodes vergeben (wie oben), nach einem syntaktischen, thematischen, semantischen oder dialogischen Kriterium, wie es die Hauptfragestellung erfordert. Die Kodierregeln dazu werden in einem Kodekommentar festgelegt (s.u.). Die Kodenamen müssen dabei geschickt gewählte, evidente Kürzel sein.

Wenn es nur auf die Reihenfolge ankommt, reicht dann ein Ausdruck der Kodeliste (Mausrechtsklick im Kodelistenfenster). Wenn es sich um komplexere Strukturen handelt, sind die Netzwerkfunktionen hervorragend geeignet. Hier stehen im ATLAS/ti-Programm breite Möglichkeiten der Verknüpfung (A ist assoziiert mit, ist Teil von, verursacht, widerspricht, ist ein oder beschreibt B) verschiedener Kodes und der graphischen Darstellung dieser Verknüpfungen zur Verfügung (s. Abb. S. 106 oben).

Inhaltliche Strukturierung

Grundgedanke ist hier, daß aus dem Material bestimmte Inhalte nach einer vorher festgelegten Regel extrahiert werden, um weiterbearbeitet werden zu können.

Im ATLAS/ti-Programm wird die Extraktionsregel im Kommentarfenster als Kodierleitfaden festgelegt und das extrahierte Material markiert und mit einem Kode versehen.

Wenn eine Zusammenfassung pro Kode daran angeschlossen werden soll, so geschieht das nach den Regeln zusammenfassender Inhaltsanalyse.

Typisierende Strukturierung

Hier geht es darum, mit einer oder mehreren theoriegeleitet entwickelten Typisierungs-dimensionen (= Kodes) den Text durchzuarbeiten und Textstellen zu selektieren, die eine Typisierung ermöglichen. Das Material zu den Typisierungsdimensionen wird wieder, wie bei allen Strukturierungen, nach einem Kodierleitfaden als Kodekommentar aus dem Text herausgefiltert und mit einem Kode versehen.

Anhand der Zitat-Liste (P1 bis Pn im Fenster oben Mitte) werden pro Typisierungs-dimension die typischen Ausprägungen festgelegt (nach Extremen, theoretischem Inter-

105

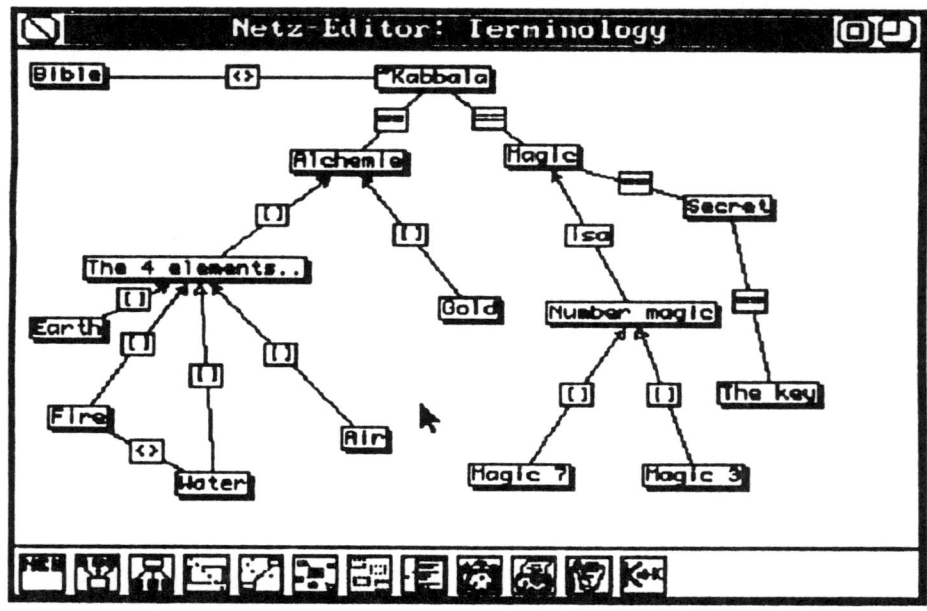

Vernetzung von Kodes in ATLAS/ti

esse oder empirischer Häufigkeit). Als neue Kodes werden nun prototypische Textstellen dazu herausgesucht (zweiter Materialdurchgang). Dazu wird nun wieder eine festgelegte Maske im Kommentarfenster verwendet:

```
Nr.   Paraphrasierung der            Zusammenfassung
      prototyp. Textstelle
------------------------------------------------------------------
P1    ............ ... .. .....      ...... .... ............. ...
                                     ......... .. .. ............
P2    ... ............. .....
      ............
```

Maske für typisierende Strukturierung

Skalierende Strukturierung

Grundgedanke ist hier, daß Material extrahiert wird, das auf einer theoriegeleitet festgelegten Einschätzungsdimension nach festgelegten (nominalen oder ordinalen) Ausprägungen skaliert wird.

Der relevante Text wird markiert und zunächst eine erste Kodierung dazu vorgenommen; der Kodename (z.B. 22GLTK-3: Proband Nummer **22**, Glück-trait, kognitive Komponente, Code **3** = etwas glücklich) sollte Probandennummer, Variablenabkürzung und als letztes den numerischen Kode enthalten. Der Kode wird bei der ersten Textstelle versuchsweise vergeben, bei jeder neuen Textstelle zur jeweiligen Kategorie überprüft und am Ende des Textes nochmals überprüft; Veränderungen des Kodes sind in ATLAS/ti über Veränderung des Kodenamens (Mausrechtsklick im Kodierlistenfenster) jederzeit möglich.

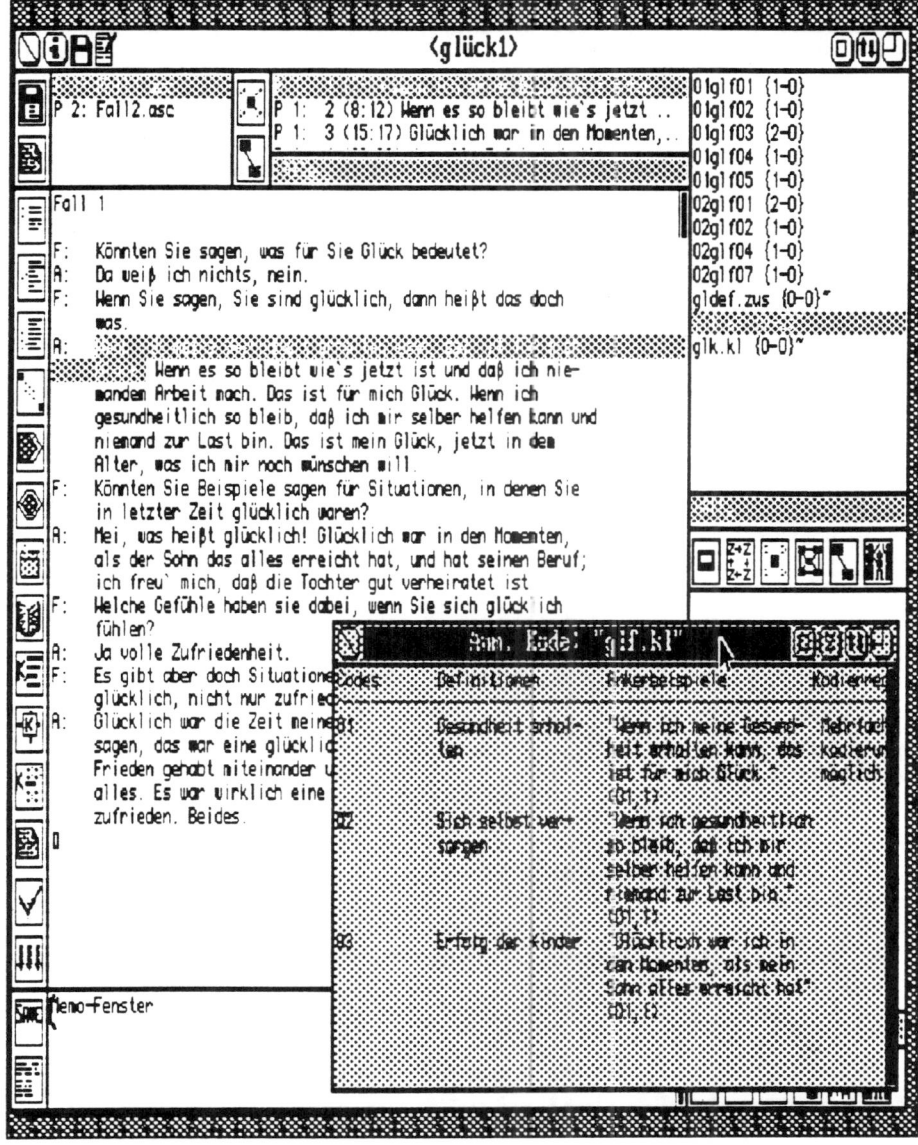

Strukturierende Inhaltsanalyse in ATLAS/ti

Über die Kommentarfunktion wird bei der ersten Kodevergabe ein Kodierleitfaden geschrieben nach dem oben beschriebenen (Kap. 5.5.4.4) Muster.

Der Vorteil ist hier wieder, daß der Originaltext mit der markierten, für die Kodierung relevanten Textstelle, **und** gleichzeitig der „zuständige" Kodierleitfaden und gleichzeitig eine Liste der bereits vergebenen Kodes (Fenster oben rechts) und der zugehörigen Belegstellen (Fenster oben Mitte) auf dem Bildschirm erscheint. In der Abbildung wurden aus dem Beispiel der Zusammenfassung (s.o.) die Ergebnisse der Zusammenfassung (eine Liste an Glücksfaktoren) nun als Nominalkategorien (GLF01 bis GLF07) für die Strukturierung verwendet. Es soll in den Interviews festgestellt werden, welche Glücksfaktoren am häufigsten auftauchen, bei wem usw.

Im Textfenster erscheint die für den ersten Glücksfaktor relevante Textstelle markiert (weiß auf schwarz) und im Memofenster erscheint der relevante Kodierleitfaden dazu.

Ein Ausdruck des Kodierleitfadens (zur Dokumentation oder für Kodierkonferenzen) kann über Mausrechtsklick im Kodelistenfenster erstellt werden.

Über die Speicherung der Kodeliste als ASKII-file und Einlesen in die Textverarbeitung lassen sich alle Kodes selektieren, die auf Personenebene vergeben wurden (beginnend mit Pbn-Nummer), und daraus eine Rohdatenmatrix basteln, die dann für eine weitere statistische Analyse eingelesen werden kann.

Sowohl im Probedurchlauf – einer ersten Phase, in der Kategorien und Kodierleitfaden entwickelt und getestet werden – als auch in der Hauptphase bei der Überprüfung der Interkoderreliabilität kann bei Differenzen zwischen verschiedenen Kodierern den Ursachen nachgegangen werden: Vergleich der jeweiligen Fundstellen!

Hier läßt sich eine Kode-Belegliste jederzeit im mittleren oberen Fenster einsehen und auch – entweder mit oder ohne Ausdruck der Belegstellen – drucken (hier im Beispiel nur mit Seiten/Zeilenangabe der Belegstellen – Mausrechtsklick im Kode-Fenster, Ausgabemenue):

```
Kode: 01GLF01 (1 Zitat)        Kode: 02GLF01 (4 Zitate)
  P 1: Pens1.asc                 P 1: Pens1.asc
      7 - 8                          33 - 34, 36 - 37, 40 - 41, 43 - 43

Kode: 01GLF02 (2 Zitate)       Kode: 02GLF04 (1 Zitat)
  P 1: Pens1.asc                 P 1: Pens1.asc
      8 - 9, 9 - 12                  48 - 48
```

Kode-Belegliste in ATLAS/ti

Auch in der Hauptuntersuchung ist die Feststellung der Ursachen von Unreliabilitäten, die so möglich ist, eine entscheidende Zusatzinformation zu den Gütekriterien (vgl. Kap. 7.).

Die Feststellung eines Interkoderreliabilitätskoeffizienten geschieht über den Ausdruck der Kodelisten mehrerer Kodierer.

7. Gütekriterien der Inhaltsanalyse

Wenn die Inhaltsanalyse den Status einer sozialwissenschaftlichen Forschungsmethode für sich beanspruchen will, so muß sie sich Gütekriterien stellen, muß jede einzelne Analyse anhand solcher Gütekriterien auf ihre Tauglichkeit hin eingeschätzt werden. Bezogen auf bisher durchgeführte Inhaltsanalysen ist die Situation jedoch noch desolater als innerhalb der restlichen sozialwissenschaftlichen Forschung: Es fehlen fast vollständig Angaben über die Zuverlässigkeit (Reliabilität) und Gültigkeit (Validität) der erzielten Ergebnisse.

So haben Koch/Witte/Witte (1974) kommunikationswissenschaftliche Analysen von Publikumszeitschriften, ein klassischer Bereich der Inhaltsanalyse, auf die Behandlung von Gütekriterien hin überprüft: Die sechs jüngsten, ihnen zugänglichen Inhaltsanalysen übergehen fast ausnahmslos diesen Punkt. Es darf dabei aber nicht verschwiegen werden, daß die klassischen Kriterien der Reliabilität und Validität oft auch von Inhaltsanalytikern in Frage gestellt werden.

Darauf soll zunächst eingegangen werden, um dann spezifisch inhaltsanalytische Gütekriterien vorzustellen.

7.1 Die klassischen Gütekriterien

Die sozialwissenschaftliche Methodenlehre teilt die Gütekriterien ein in Maße der Reliabilität (Zuverlässigkeit) als der „Stabilität und Genauigkeit der Messung sowie der Konstanz der Meßbedingungen" (Friedrichs 1973, S. 102) und in Maße der Validität (Gültigkeit), die sich darauf beziehen, „ob das gemessen wird, was gemessen werden sollte" (Friedrichs 1973, S. 100). Dabei wird üblicherweise unterschieden:

Reliabilität: – *Re-Test:* Die Forschungsoperation wird ein zweites Mal vorgenommen und überprüft, ob sie zu denselben Ergebnissen führt.

              – *Parallel-Test (Äquivalent-Form):* Die Forschungsfrage wird an derselben Stichprobe mit einem anderen Instrument untersucht und die Übereinstimmung überprüft.

              – *Konsistenz (Split-half):* Man teilt das Material oder das Instrument in zwei gleiche Teile und überprüft, ob beide Untersuchungsteile zu ähnlichen Ergebnissen führen.

Validität: – *Außenkriterium:* Untersuchungsergebnisse, die in engem Zusammenhang mit der eigenen Fragestellung und dem Untersuchungsgegenstand stehen und von deren Gültigkeit man überzeugt ist, werden als Vergleichsmaßstab herangezogen.

- *Vorhersagevalidität:* Aufgrund der Ergebnisse werden Prognosen gestellt, deren Eintreffen untersucht wird.

- *Extremgruppen:* Teile der Stichprobe, bei denen man extreme Ergebnisse erwartet, werden herausgegriffen und überprüft, ob die Ergebnisse in die erwartete Richtung weisen.

- *Konstruktvalidität:* Die Ergebnisse werden anhand bewährter Theorien auf ihre Plausibilität hin überprüft, die Angemessenheit der operationalen Definitionen wird aufgrund des Theoriehintergrundes erwogen.

An diesen „klassischen" Gütekriterien, an deren Übertragbarkeit auf inhaltsanalytische Forschung, ist oft Kritik geübt worden. Bei Reliabilitätsbestimmungen erscheinen Parallel-Test-Verfahren problematisch, da die Äquivalenz zweier Instrumente bei der Analyse sprachlichen Materials nur sehr selten erweisbar sein dürfte. Auch die Split-half-Methode wird nur selten sinnvoll anzuwenden sein, da der Umfang der Materialstichprobe wie auch der Umfang des Instrumentes (der Kategorien) meist so bestimmt wird, daß in einzelnen Teilen zentrale, das Gesamtergebnis verändernde Erkenntnisse auftauchen können. So wird bei inhaltsanalytischen Reliabilitätsbestimmungen üblicherweise so vorgegangen, daß die gesamte Analyse von mehreren Personen durchgeführt wird und deren Ergebnisse verglichen werden *(Intercoderreliabilität)*. Aber auch dagegen sind Einwände vorgebracht worden.

So sagt J. Ritsert, daß hohe Übereinstimmung zwischen verschiedene Kodierern nur bei sehr einfachen Analysen zu erreichen sei. „Je differenzierter und umfangreicher das Kategoriensystem, desto schwieriger ist es, eine hohe Zuverlässigkeit der Resultate zu erzielen, obwohl gleichzeitig die inhaltliche Aussagekraft einer Untersuchung steigen kann." (Ritsert 1972, S. 70) Lisch/Kriz stellen das Konzept der Intercoderreliabilität gänzlich in Frage, da sie bei sprachlichem Material Interpretationsunterschiede zwischen mehreren Analytikern als die Regel ansehen. „Bevölkerungsteile, welche die Welt nicht so sehen und kategorisieren wie die Inhaltsanalytiker, werden wegen Dummheit oder Bosheit von der weiteren Betrachtung ausgeschlossen – wozu soll man als Sozialwissenschaftler seine mühsam mit der „besten Gruppe von Kodierern" erreichte objektive Bedeutungshomogenität durch die realen Reaktions- und Interpretationsunterschiede in gesellschaftlichen Subgruppen gefährden lassen" (Lisch/Kriz 1978, S. 90).

Da Reliabilität die Voraussetzung für Validität (nicht jedoch umgekehrt) ist, treffen die Argumente gegen die Reliabilitätskonzepte auch die Validität. „Je stärker die Variabilität der Alltagsphänomene durch unentdeckte und/oder theoretisch unberücksichtigte Parameter (Störfaktoren) bestimmt ist, desto mehr wird eine Erhöhung der Reliabilität durch *Eliminierung* dieser Parameter den praktisch-relevanten Aspekt der Validität beeinträchtigen" (Lisch/Kriz 1978, S. 87).

Aber auch Kritik an den Validitätskonzepten wird häufig vorgebracht. Dabei wird meist die Zirkularität von Validierungen angegriffen (z.B. Ritsert 1972, S. 72 ff.): Wenn Material von außerhalb der eigenen Untersuchung als Gütemaßstab herangezogen wird (Außenkriterium bzw. theoretische Annahme bei Konstruktvalidität), so muß deren Gültigkeit bereits feststehen. Krippendorff (1980) hat dies als Trilemma formuliert: „Wenn der Inhaltsanalytiker kein direktes Wissen über seinen Gegenstand besitzt, dann kann er tatsächlich nichts über die Validität seiner Ergebnisse aussagen. Wenn er einiges Wissen über den Kontext des Materials besitzt und er dies zur Entwicklung seiner analytischen Konstrukte benutzt, dann ist dieses Wissen nicht länger unabhängig von seiner Untersuchung und kann nicht zur Validierung der Ergebnisse benutzt werden. Und wenn er es fertigbringt, das Wissen über den Untersuchungsgegenstand unabhängig von der eigenen Untersuchung zu bewahren, dann ist die Anstrengung, dieses durch das Material zu erschließen, eigentlich überflüssig und liefert bestenfalls einen Fall zur Generalisierung des Untersuchungsverfahrens" (Krippendorff 1980, S. 156, Übersetzung P.M.).

Deshalb werden heute für qualitative Forschung eigene Gütekriterien diskutiert (Flick 1987, Mayring 1990, Kap. 5). Solche Kriterien sind z.B. Verfahrensdokumentation, Argumentative Interpretationsabsicherung, Nähe zum Gegenstand, Regelgeleitetheit, Kommunikative Validierung und Triangulation.

Zur Lösung solcher Probleme sind aber auch eigene Konzepte inhaltsanalytischer Gütekriterien entwickelt worden. Darauf soll nun eingegangen werden.

7.2 Spezifisch inhaltsanalytische Gütekriterien

Mit der Intercoderreliabilität ist bereit ein spezifisch inhaltsanalytisches Gütekriterium angesprochen worden. Aber schon Holsti (1969a, S. 135 ff.) wie auch Rust (1981, S. 172 ff.) haben darauf hingewiesen, daß nicht nur die Anwendung der Kategorien auf das Material (die Kodierung) zuverlässig vor sich gehen muß, sondern auch die Konstruktion der Kategorien selbst. Ausgehend von solchen Überlegungen werden immer häufiger eigene inhaltsanalytische Gütekriterien vorgeschlagen, in der weitesten Form zuletzt von Krippendorff (1980). Er unterscheidet dabei acht Konzepte, die wie folgt zusammenhängen:

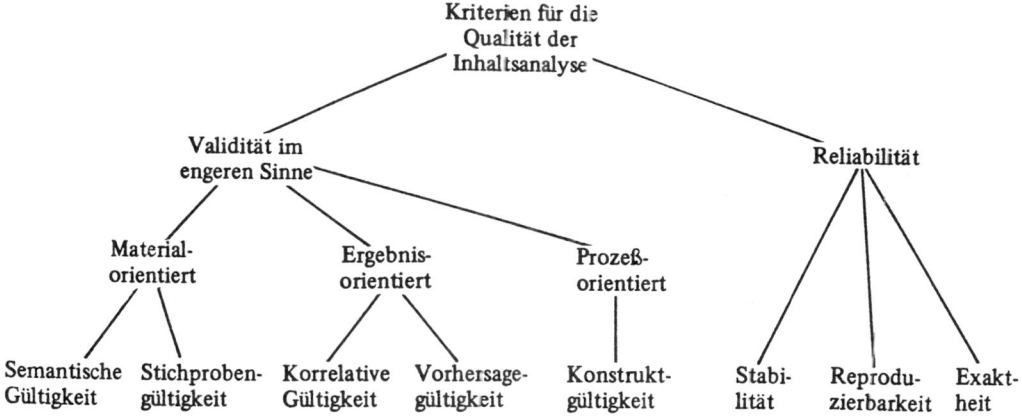

Abbildung 19: Inhaltsanalytische Gütekriterien nach Krippendorff 1980, S. 158

Semantische Gültigkeit bezieht sich dabei auf die Richtigkeit der Bedeutungsrekonstruktion des Materials. Sie drückt sich in der Angemessenheit der Kategoriendefinitionen (Definitionen, Ankerbeispiele, Kodierregeln) aus. Eine Überprüfung kann durch Expertenurteile geschehen. Krippendorff schlägt aber auch einfache „Checks" vor:

— Sammlung aller Textstellen, denen aufgrund der Analyseanweisungen eine be-

111

stimmte Bedeutung gegeben wurde; Vergleich der Textstellen mit dem Konstrukt, Überprüfung der Homogenität der Textstellen;
– Konstruktion von hypothetischen Textstellen mit bekannter Bedeutung; Überprüfung, ob das Analyseinstrument diese Bedeutung rekonstruieren kann; Konstruktion von Problemfällen.

Bei der *Stichprobengültigkeit* sei auf die üblichen Kriterien exakter Stichprobenziehung hingewiesen (vgl. z.B. Lisch 1978a; siehe auch Kap. 5.2).

Korrelative Gültigkeit meint die Validierung durch Korrelation mit einem Außenkriterium. Eine Überprüfung ist nur möglich, wenn bereits Ergebnisse einer Untersuchung mit ähnlicher Fragestellung und ähnlichem Gegenstand vorliegen. Sinnvoll erscheinen vor allem Vergleiche mit Ergebnissen, die durch andere Methoden wie Test, Experiment oder Beobachtung gewonnen wurden. Aber auch der umgekehrte Weg ist gangbar: Oft lassen sich Analyseinstrumente oder Gegenstände angeben, die zu völlig anderen oder gar entgegengesetzten Ergebnissen führen müßten. Dies läßt sich auch korrelativ überprüfen.

Vorhersagegültigkeit ist als Gütekriterium auch nur anwendbar, wenn sich sinnvoll Prognosen aus dem Material ableiten lassen. Dann aber ist eine Überprüfung einfach und sehr aussagekräftig.

Konstruktvalidität läßt sich durch Inhaltsanalysen durch einige Kriterien überprüfen wie

– bisherige Erfolge mit ähnlichen Konstrukten und/oder Situationen;
– Erfahrungen mit dem Kontext des vorliegenden Materials;
– etablierte Theorien und Modelle;
– repräsentative Interpretationen und Experten.

Ein Gütekriterium darf hier nicht unerwähnt bleiben, das immer mehr an Bedeutung gewinnt: die *kommunikative Validierung* (Klüver 1979; Heinze/Thiemann 1982). Der Grundgedanke dabei ist, eine Einigung bzw. Übereinstimmung über die Ergebnisse der Analyse zwischen Forschern und Beforschten diskursiv herzustellen. Ein solches Vorgehen hat vor allem dort seinen „Sinn und unaufhebbare Notwendigkeit, wo die theoretischen Interpretationen von Aussagen, insbesondere Selbstdarstellungen, die Funktion haben, eine mit den Befragten gemeinsame Praxis vorzubereiten und zu strukturieren" (Klüver 1979, S. 82). Heinze/Thiemann beschreiben kommunikative Validierung als ein Verfahren, das „(a) zur Selbstverständigung der Menschen über ihre Alltagspraxis beiträgt; sie ist nicht argumentierende Streiterei über die Geltung theoretischer Sätze; (b) sich für die Konstitutionsbedingungen des subjektiven Lebens öffnet; sie betrachtet jedenfalls die Interpretierten nicht als bloße Derivate von Sozialstrukturen; (c) das wichtigste Forschungsinstrument, den Forscher selbst, in den Forschungsprozeß einbezieht; sie ist deshalb gerade nicht objektivistisch; (d) die Untersuchungssituation die Zusammenarbeit mit den Alltagsakteuren in die Interpretation einschließt; sie trennt die „Interpretationsprodukte" nicht von den Bedingungen ihrer Entstehung; (e) die keine Ausführungen jenseits der Auseinandersetzungen mit den Alltagsakteuren macht" (Heinze/Thiemann 1982, S. 641).

Stabilität läßt sich durch nochmalige Anwendung des Analyseinstrumentes auf das Material überprüfen.

112

Reproduzierbarkeit meint den Grad, in dem die Analyse unter anderen Umständen, anderen Analytikern zu denselben Ergebnissen führt. Sie hängt ab von der Explizitheit und Exaktheit der Vorgehensbeschreibung und läßt sich durch Intercoderreliabilität messen. Krippendorff schlägt hier einen eigenen Koeffizienten vor, auf andere Koeffizienten sei hier nur verwiesen (zum Überblick Friede 1981, Asendorpf/Wallbott 1979). Solche Koeffizienten müssen nicht nur die Quote der übereinstimmenden Einschätzungen verschiedener Kodierer berücksichtigen, wie im einfachsten Reliabilitätsmaß (Holsti 1969a, S. 140):

$$R = \frac{(\text{Zahl der Kodierer}) \cdot (\text{Zahl der übereinstimmenden Urteile})}{(\text{Zahl aller Kodierurteile})}$$

Sie müßten auch den Koeffizienten um die Zahl der zufällig zu erwartenden Übereinstimmungen bereinigen, wie es Scott, Flanders, Garrett und Cohen (vgl. Friede 1981) versucht haben:

$$R = \frac{(\text{beobachtete prozentuale Übereinstimmung}) - (\text{zufällig zu erwartende Übereinstimmung})}{1 - (\text{zufällig zu erwartende Übereinstimmung})}$$

Krippendorff (1980, S. 133 ff.) hat dabei einen Koeffizienten vorgelegt, der am tauglichsten erscheint. Er geht von dem Grundgedanken aus:

$$R = 1 - \frac{(\text{beobachtete Nicht-Übereinstimmung})}{(\text{zufällig zu erwartende Nicht-Übereinstimmungen})}$$

und gibt zur Berechnung ein einfaches Beispiel: Wenn zwei Kodierer (Jin und Han) 10 Auswertungseinheiten (documents) auf die Anwesenheit (=1) oder Abwesenheit (=0) bestimmter Inhalte hier einschätzen sollen, kann folgendes Bild entstehen:

documents	1	2	3	4	5	6	7	8	9	10
Jin	0	1	0	0	0	0	0	0	1	0
Han	0	1	1	0	0	1	0	1	0	0

(Krippendorff 1980, S. 133)

Die Häufigkeiten der Übereinstimmungen und Nicht-Übereinstimmungen lassen sich nun in einer Kontingenzmatrix darstellen:

		Han 0	Han 1	
Jin	0	5	3	8
Jin	1	1	1	2
		6	4	10

Da von den beiden Kodierern von insgesamt 20 Urteilen sechsmal die 1 kodiert wurde, ist deren zufällige Auftretenswahrscheinlichkeit 6/20; die Zufallswahr-scheinlichkeit, im darauffolgenden Urteil nochmals eine 1 zu kodieren, ist nun 5/19. Daraus läßt sich die Wahrscheinlichkeit des Übereinstimmens in der Kodierung 1 aufgrund des Zufalls als $(6/20) \cdot (5/19) = 0.08$ berechnen. Dieser Wert muß noch mit der Zahl der Auswertungseinheit (also 10) multipliziert werden und kann nun rechts unten in der Matrix der Zufallübereinstimmungen eingetragen werden:

	0	1
0	4.8	2.2
1	2.2	0.8

Die beobachtete Nicht-Übereinstimmung läßt sich nun aus der ersten Matrix, die zufällig erwartete Nicht-Übereinstimmung aus der zweiten Matrix ablesen und es ergibt sich:

$$R = 1 - \frac{(3+1)}{(2.2+2.2)} = 0.095$$

Diesen Ansatz zur Intercoderreliabilität hat Krippendorff ausgearbeitet für mehrere Kodierer, mehrere Ausprägungen und höhere Skalenniveaus.
    Er kommt dabei zu folgender allgemeiner Formel:

$$R = 1 - \frac{\frac{1}{r} \sum_i \sum_b \sum_c \frac{n_{bi} \cdot n_{ci}}{m(m-1)} d_{bc}}{\sum_b \sum_c \frac{n_b \cdot n_c}{rm(rm-1)} d_{bc}}$$

wobei i = konkrete Auswertungseinheit
       r = Summe aller Auswertungseinheiten
       j = konkreter Kodierer
       m = Summe aller Kodierer
       k = Kategorie (Ausprägung) allgemein
       $\left.{b \atop c}\right\}$ = konkrete Kategorien (Ausprägungen)

       d = Differenz
       n = Anzahl
bedeuten.

Der Wert dbc berechnet sich je nach Skalenniveau:

für Nominalskalen: $d_{bc} = \begin{cases} 0 \text{ wenn } b = c \\ 1 \text{ wenn } b \neq c \end{cases}$

für Ordinalskalen: $d_{bc} = \left(\sum_{k>b} \frac{n_k}{rm} - \sum_{k<b} \frac{n_k}{rm} + \sum_{k<c} \frac{n_k}{rm} - \sum_{k>c} \frac{n_k}{rm} \right)^2$

für Intervallskalen: $d_{bc} = (b - c)^2$

für Ratioskalen: $d_{bc} = (\frac{b-c}{b+c})^2$

114

Exaktheit (accuracy) meint den Grad, zu dem die Analyse einem bestimmten funktionellen Standard entspricht. Sie setzt Stabilität und Reproduzierbarkeit des Instrumentes voraus, ist das stärkste Reliabilitätsmaß, läßt sich aber auch am schwersten überprüfen.

Im allgemeinen lassen sich vier Quellen von Nicht-Reliabilität nach Krippendorff unterscheiden:

– die Auswertungseinheiten (Fundstellen): Hier kann überprüft werden, ob die Auswertungseinheiten, bei denen Unstimmigkeiten mehrerer Kodierer auftauchen, sich systematisch vom restlichen Material unterscheiden;
– der Analytiker: dies kann durch Intercoderreliabilität überprüft werden;
– die einzelnen Kategorien: Hier kann überprüft werden, ob Unstimmigkeiten bei bestimmten Kategorien besonders häufig vorkommen; durch klarere Definitionen läßt sich dies beheben;
– die Kategoriendifferenzierung: Oft läßt sich die Reliabilität erhöhen, wenn man uneindeutige Kategorien zusammenwirft und so zu einem gröberen aber exakter anwendbaren Kategoriensystem gelangt.

Mit dieser Konzeption Krippendorff's ist eine schlüssige und größtenteils gut anwendbare Fassung von inhaltsanalytischen Gütekriterien vorgelegt. Eine systematische Aufstellung von Gütekriterien müßte jedoch an einer inhaltsanalytischen *Fehlertheorie* ansetzen. Zu fragen ist: Wo können Inhaltsanalysen noch Fehler machen? Darauf wären dann Gütekriterien zu beziehen. Material zu einer solchen Fehlertheorie könnte man in zwei Bereichen finden:

– Im Gegenstandsmodell, dem inhaltsanalytischen Kommunikationsmodell (vgl. Abb. 7) ist die Beziehung zwischen dem Material, seinem Gegenstand, dem Kommunikator, dem Empfänger und dem Inhaltsanalytiker dargestellt. Zwischen all diesen Instanzen des Modells kann es zu Verzerrungen kommen, die man als Fehlerquellen weiter aufschlüsseln kann.
– Im Ablaufmodell der Analyse (vgl. allgemein Abb. 8) sind die einzelnen Analyseschritte in ihrer Abfolge beschrieben. Jeder dieser Schritte beschreibt gleichzeitig eine mögliche Fehlerquelle.

Durch die Reflexion der möglichen inhaltsanalytischen Fehlerquellen könnten sich nicht nur neue Gütekriterien entwickeln lassen, die Tauglichkeit der Inhaltsanalyse als sozialwissenschaftlicher Methode überhaupt müßte sich hier erweisen.

8. Schlußbemerkungen: Leistungen und Grenzen der qualitativen Inhaltsanalyse

Am Ende dieser Arbeit sollen nun nochmals die wichtigsten Ergebnisse, die wichtigsten Konsequenzen für den methodischen Umgang mit sprachlichem Material innerhalb der Sozialwissenschaften zusammengefaßt werden:

1. Ein verändertes Gegenstandsverständnis in den Sozialwissenschaften, welches das Subjekt mehr „zur Sprache" kommen läßt und dabei eher mit offenen, „weichen" Methoden vorgeht, erfordert die verstärkte Entwicklung darauf bezogener Auswertungstechniken.
2. Ein Überblick über bisherige inhaltsanalytische Techniken und deren Einsatzmöglichkeiten zeigt, daß die Inhaltsanalyse ein hierfür ausbaufähiges Instrument darstellt und gleichzeitig Standards methodisch kontrollierten Vorgehens genügen kann.
3. Der Streit zwischen qualitativer und quantitativer Analyse legt nahe, daß die Synthese dort liegt, wo die jeder Analyse notwendig inhärenten qualitativen Analyseschritte expliziert werden und daraufhin die Punkte im Analyseprozeß bezeichnet werden, an denen sich quantitative Schritte sinnvoll einbauen lassen.
4. Zur Entwicklung solcher, auf die qualitativen Schritte bezogenen Analysetechniken können neben der inhaltsanalytischen Methodik auch Nachbardisziplinen (Hermeneutik, Literaturwissenschaft, qualitative Sozialforschung, Psychologie der Textverarbeitung) herangezogen werden.
5. Aus der Grundstruktur bisheriger Techniken der Analyse sprachlichen Materials lassen sich Zusammenfassung, Explikation und Strukturierung als Grundformen des Interpretierens extrahieren, die nun Ausgangspunkt qualitativer inhaltsanalytischer Methodik sein können.
6. Durch Differenzierung in einzelne Analyseschritte, Aufstellen von Ablaufmodellen und Formulierung von Interpretationsregeln lassen sich aus diesen Grundformen wissenschaftliche Auswertungstechniken entwickeln. Dazu ist ein erster Versuch vorgelegt und am Beispiel demonstriert worden.
7. Solche qualitativen Inhaltsanalysen haben den Anspruch, sich an sozialwissenschaftlichen und spezifisch inhaltsanalytischen Gütekriterien messen zu lassen.

Das soll aber nicht heißen, daß die qualitative Inhaltsanalyse grenzenlos einsetzbar ist. Vor allem drei Einschränkungen müssen beachtet werden:

1. Wir haben es hier mit einer spezifischen qualitativen Auswertungstechnik zu tun. So muß die Inhaltsanalyse kombiniert werden mit Techniken der Datenerhebung und Datenaufbereitung, sie muß eingeordnet werden in einen übergeordneten Untersuchungsplan (vgl. Mayring 1990).
2. Die Stärke der qualitativen Inhaltsanalyse liegt in ihrem systematischen, regelgeleiteten Vorgehen, mit dem auch große Materialmengen bearbeitet werden können. Wenn diese Systematik von Gegenstand oder Fragestellung her nicht ange-

messen erscheinen (in stärker explorativen Untersuchungen zum Beispiel), müssen andere Verfahren gewählt werden.

3. In jedem Fall muß darauf geachtet werden, daß die Inhaltsanalyse nicht zu starr und unflexibel wird. Sie muß auf den konkreten Forschungsgegenstand ausgerichtet sein.

Denn letztlich muß die Gegenstandsangemessenheit wichtiger genommen werden als die Systematik, um nicht genau in die Probleme zu geraten, in die uns einseitig quantitative Forschung geführt hat. Wenn aber solche Fallstricke beachtet werden, ist der Weg frei für sinnvolle, aussagekräftige und methodisch abgesicherte qualitative Forschung.

Anhang

Ausschnitte aus Interviews mit vier arbeitslosen Lehrern, durchgeführt im Rahmen des DFG-Projektes „Lehrerarbeitslosigkeit" (Ulich u.a. 1985).

Fall A:

L: Also Belastung war das, wenigstens von der, naja, psychischen Seite für mich nicht – und zwar eigentlich im Gegenteil, ich war also ganz – ganz heiß darauf, da endlich mal zu unterrichten. Also man studiert ja praktisch für'n Lehrer und das ist das Fachstudium, also fachwissenschaftliches Studium, bis zum ersten Staatsexamen, das ist, das hat ja mit dem Lehrer an sich nichts zu tun und ich hab also im Praktikum – wir müssen da so ein Praktikum machen – und da hab ich also das Glück gehabt, an eine Volksschule, an eine Hauptschule, wie ich die 14 Tage da dort war, 14 Tage voll unterrichten zu können. Normalerweise hospitiert man da halt, sitzt man hinten drin; das ist natürlich total langweilig, 14 Tage, und der erzählt da irgendwas. Und die hatten also damals grad ein bisserl einen Lehrermangel gehabt und da sagt die Schulleiterin zu mir, „Passen's auf, das machen wir so, Sie nehmen die 8. Klasse und die 9. in Physik und Mathematik, dann brauch ich die nicht mehr machen, das ist nämlich für mich eine zusätzliche Belastung und da hab ich mehr Zeit für meinen Verwaltungskram."

F: Also, das war noch während der Uni-Zeit?

L: Das ist, das ist also bei jedem a so. Das Praktikum, das muß ein jeder machen am Gymnasium und an der Hauptschule oder der Grundschule. Und da konnte ich also 14 Tage unterrichten, und das hat mir also riesig Spaß gemacht. Eine Hauptschule ist natürlich auch von der Vorbereitung relativ einfach, weil also der Stoff da nicht so schwierig ist. In der Mathematik 9. Klasse ist der Pythagoras, naja. ...

F: Kennt man!

L: ... schüttelt man mehr oder weniger aus'm Ärmel, wenn man also von der Naturwissenschaft kommt und für die Schüler ist man sowieso ein Zauberer, wenn man das denen da vorzeigt mit dem Thaleskreis. Die sagen, „Ja, das gibts ja gar nicht, das ist ja fast schon Magie!" Und das hat mir da also da Spaß gemacht. Drum **hab ich also da schon drauf gewartet**, an eine Seminarschule, bis ich endlich einmal da unterrichten konnte. **Sicher gibts dann Enttäuschungen, daß die Schüler nicht so sind, wie man meint**. Ja ich meine, in so einer Großstadt gibt es halt Probleme noch von der großen Firma, die da dort ist, und es ist also nicht so, wie man sich das eigentlich vorstellt, aber, also ein Praxisschock war das für mich also bestimmt nicht.

F: Hm. Auch nicht mit den vielen Stunden, die man dann hat, mit den Stundenvorbereitungen, – und – also das haben uns viele halt erzählt, daß die Referendarzeit eigentlich unheimlich belastend ist, durch die viele Arbeit.

L: Na, ich, man muß dazusagen, im ersten Abschnitt also im ersten Halbjahr in der Seminarschule, und im 3. Abschnitt auch wieder an der Seminarschule, da ist es ja so, da hat man ja in der Regel nur pro Fach eine Klasse. Das heißt, das sind zwischen 4 und 8 Stunden. Gut, wenn einer Englisch/Französisch hat, dann kann er vielleicht auch 10 Stunden haben: 5 Stunden Englisch, 5 Stunden Französisch in einer Klasse. Aber das sind in der Regel also nur 2 Klassen. Das ist also nicht so problematisch. **Problematisch wird's in der Zweigschule**, und das werden wahrscheinlich die Leute auch gemeint haben, da haben wir also im Schnitt in Bayern, haben die Referendare da 16 Stunden...

F: Ja, genau.

L: ... in der Woche, einen Tag frei. Also, wenns geht, steht in der Ausbildungs-ordnung, soll er einen Tag frei haben und das soll montags oder dienstags sein. Sagen wir mal, er hat einen Tag frei, dann bleiben noch 4 Tage übrig; bei 16 Stunden, sind also pro Tag 4 Stunden. Und also, da muß man schon was tun. Das ist klar. Aber jetzt kommts, das ist also von Schule zu Schule verschieden. Wenn man also dann an einer Schule ist, z.B. an einer Großstadtschule, wo man Schwierigkeiten hat mit der Disziplin, wo die Schüler einfach – von ihrem Wesen ganz anders sind, dann mag das sein, daß man da irgendwie frustriert wird. Aber bei mir, auf der Landschule, ich hab also die maximale Stundenzahl gehabt mit 18 Stunden in der Woche, und hab sehr viele Klassen gehabt, also **sehr viel Vorbereitung gehabt**, und ganz – andersartig, 6. Klasse Erdkunde oder 11. Klasse Erdkunde, das war also ein Unterschied und hab also alle kennengelernt praktisch von den Kindern bis zu den Heranwachsenden. Aber mich hat das irgendwie dann, was heißt, entschädigt, aber **mir ist das gar nicht aufgefallen, daß das soviel Arbeit war, weil mir das einfach so Spaß gemacht hat**. Weil ich gesehen hab, den Schülern machts auch Spaß. Und ich war jetzt vor kurzem mal wieder an der Schule dort; also die, wie ich dann in das Schulhaus gekommen bin, die stürmen da gleich her, wenn's mich sehen und sagen. „Ja, und wie gehts Ihnen, und kommen Sie jetzt wieder zu uns" und so. Und die, für mich also, ich hab mich da also richtig gefreut, die habn dann gesagt, „Mei, jetzt haben wir den und den und da und da und das ist halt nicht so, wies bei Ihnen war", und so. Und da sag ich: „Ja", „Und wo sind Sie denn jetzt?". Und wie ich gesagt hab, „Ich bin arbeitslos", „Das gibts ja gar nicht, daß Sie arbeitslos sind".

F: Aber, ... sind die, gabs da keine Probleme dadurch, daß man sich ja wenn man Unterricht macht, ja nicht so völlig auf die Kinder einstellen kann. Man hat ja schon ziemlich viele und – uns haben viele erzählt, daß man halt vorher sich Sachen ausmalt, wie man dann auf die Kinder eingeht und daß man dann irgendwie enttäuscht wird von der Schulwirklichkeit.

L: Naja, ich hab mir das vielleicht gar nicht so ausgemalt, weil ich da vielleicht zu realistisch bin, ich meine, wenn ich eine Klasse mit 35 Schülern hab und da hab ich eine Stunde in der Woche mit 45 Minuten, dann kann ich also meine erzieherische Arbeit natürlich ganz, ganz, ganz klein ansetzen. Ich muß, oder ich mach auf jeden Fall also den, was heißt nicht nur den Ansatz, sondern ich setz die ganz, also die Arbeit, ganz hoch an, aber daß natürlich was rauskommt sehr gering ist, das ist klar, weil bei 45 Minuten, 35 Schülern, da bleibt also für jeden Schüler ein bisserl mehr wie 1 Minute Zeit. Ich mein, die kann ich mir ja gar nicht nehmen, weil ich ja den Stoff durchbringen muß.

Fall B:

L: Praxisschock, ich habs in der Arbeit, die ich da geschrieben hab, auch verwendet (lachen), muß ich sagen, hab ich eigentlich – nicht direkt gehabt. Ich hab ungefähr gewußt, – **man geht eigentlich mit einer sehr positiven Einstellung hin, ne, „Jetzt komm ich".** Ich weiß, ich hab einem Freund von mir erzählt, der wird fertig, und hab ich dann gesagt, was ich jetzt teilweise im Unterricht mache, im Sportunterricht. Na hat er gesagt, „Ne, das gibts doch gar nicht, das muß man doch anders auch machen können", ne. Und da hab ich gesagt, „Du, das hab ich auch gesagt, wie ich studiert hab", hab ich gesagt, „Ihr könnt ja alle nicht, wartet nur bis ich komm und ihr werdet es schon sehen, daß mit den Methoden, die du meinst, – vor allem mit zureden oder „Das war jetzt doch ein Unsinn, laß doch das", daß das eigentliche in den seltensten Fällen einfach möglich ist", ne. Und – ich – muß sagen, **ich hab mit der Klasse**, die ich am Anfang gehabt hab, eine 8. Klasse, und **die sind also doch ein bißchen schwierig gewesen – bis Ende des Schuljahres doch sehr gut zusammengerauft** und war eigentlich nicht schokkiert, muß ich schon sagen. **Ich hab das so genommen, wie's kommt** – und hab vor allen Dingen sehr schnell gemerkt, daß die anderen, die etablierten Lehrer, die gleichen Schwierigkeiten haben wie ich, ja. Und wenn die die Schwierigkeiten schon haben, dann brauch mir ich also wirklich (lachen) nicht Gedanken darüber zu machen, „Bin jetzt ich ein Versager oder bin ich kein Versager?" oder? Es gibt sehr wenig Lehrer, die es zugeben, daß sie auch Schwierigkeiten haben, also es gibt auch sehr – an den Schulen wo ich bisher war – gibts auch Lehrerkollegen, die haben nur Erfolg, es sei denn, man geht einmal an der Klasse vorbei, dann hör: man's. Aber – ich war an einem Gymnasium, da war das Lehrerkollegium, da waren sehr junge Lehrer, sehr offen, da sind auch die älteren, die schon 6, 7 Jahre im Unterricht waren, zu mir hergekommen und haben mich gefragt. „Du, wie würdest denn Du das machen? Der führt sich so auf, was macht Ihr da im Seminar in dieser Situation?", und das hab ich also als ganz toll empfunden, daß man sich da ganz offen unterhalten kann und sagen, „Du, ich hab mit dem Schwierigkeiten, was machst Du mit dem und wie verhält sich der bei Dir?", und das fänd ich also eigentlich die beste Lösung, um dann Probleme, die dann in der Praxis auftreten, zu lösen. Aber direkt schockiert war ich also nicht. **Ich bin eigentlich sehr flexibel** (lachen), und wenn dann wirklich etwas Schockierendes vielleicht passieren würde, dann – oder passiert ist, dann **hab ich immer noch gewußt, wie ich da reagieren muß**. Ob's pädagogisch wertvoll war, meine Reaktion, ob man es anders machen hätte können, mei, hinterher ist man immer schlauer, ne; aber in dem Augenblick – ist manchmal, grad im Sport, ein lautes Schreien (lachen) oft nützlicher als hingehen und gut Zureden, weil das ist vielleicht zu spät. ...

Vor allem dann in der Klasse, ich hab also immer sehr große Klassen, grad in Erdkunde, 30 waren also die geringste Zahl, ne, ich hab immer so 38 auch gehabt und das sind also dann schon, da gibt es natürlich Schwierigkeiten, red ich mit dem einen, machen die anderen Unsinn, red ich mit dem anderen, – das ist, – man hat also fast keine Chance, und man ist eigentlich gezwungen hier eben Sachen zu machen – (lachen) muß ich ganz ehrlich sagen – wo ich mir nie vorstellen hab können – daß ich das mach, und das Blöde ist halt, Du bist in der Situation – die Situation ist da, die Schüler wollen jetzt von Dir, daß Du irgendwas machst, Du mußt jetzt reagieren und – da kommen natürlich Sachen raus, wo ich jetzt sag, mei, „Das war vielleicht ein Unsinn, was Du da gemacht hast", ne, oder „hättest Du vielleicht besser so reagiert?", aber – da –

F: Ist das was, was man lernt, während der Referendarzeit, mit Disziplinschwierigkeiten umzugehen? Oder ist das...

L: Ja, – ich – muß – man lernt, man eignet sich einen bestimmten – naja, –

Katalog vielleicht an, bestimmte Sachen, wie kann ich reagieren. Ich muß ganz ehrlich sagen, mich hat – der – ein Schulleiter einmal darauf aufmerksam gemacht, da hat er gesagt, „Nehmen Sie die Referendarzeit dazu her und probieren Sie aus, was auszuprobieren ist. Wenn Sie einmal an einer Schule sind, dann haben Sie ein Image, sind Sie festgelegt, da können Sie nicht sagen, „Jetzt bin ich so und im nächsten Schuljahr verhalte ich mich so"!" Ja, und ich hab das eigentlich immer im Hinterkopf gehabt und hab auch so Sachen ausprobiert – einer hat einmal gesagt: „Dann hauen 's mit dem Atlas g'scheit auf den Tisch, dann ist a Ruh!" Und dann war halt irgendwie so eine Situation, da hab ich mir gedacht, „Mensch, das probierst Du aus!" Ja, es hat gewirkt, zwar nicht so lange, aber ich hab halt dann immer versucht, diese Sachen, die Tips, die ich da so bekommen hab oder die ich mir auch überlegt hab, „Was machst, wenn welche Situation auftritt?", das auszuprobieren und – insofern hab ich also schon ein bißchen an mir auch gearbeitet und gesagt „Das kann man machen" oder „Das ist jetzt daneben gegangen". Man muß das natürlich dann durchziehen, ne, ich kann nicht sagen, „Das ist gescheitert, jetzt mach ich einen Rückzieher", das ist – es kommt auf die Klasse an, aber die Klassen, wo ich – glaube ich – war, kann man keinen Rückzieher machen, dann ist also gleich gar nichts da. Man ist da also schon ein bißchen in der Zwickmühle, ne, – aber gelernt, vom Verhalten zum Schüler – ich muß sagen, ich hab eigentlich grundsätzlich – es kommt immer jetzt nur das Negative raus – ein **sehr gutes Verhältnis gehabt zu den Schülern**. Was auch teilweise daher kommt, ich war – mit denen oft auch im Skilager, da ist dann sowieso, da lernt man sich anders kennen – und Sportunterricht hat man zur Klasse sowieso dann ein anderes Verhältnis, das kann man glaub ich nicht vergleichen mit einem normalen Unterricht. Erdkundeunterricht dauert's etwas länger, erstens ist es manchmal nur eine Stunde in der Woche, wo man drinnen ist, und wenn man dann die Klasse nicht auch noch im Sportunterricht hat, dann – (lachen) kennt man dann nach einem halben Jahr, kann man froh sein, wenn man mal die Schüler gesichtsweise kennt, so (lachen). Das ist dann also sehr wenig, ja, dann ist der Kontakt also nicht so gut. –

Fall C:

L: Ja, das ist in der Tat ein starkes Problem, wobei ich sagen würde, daß bei, während der Referendarzeit, nur zum Teil der Schulalltag irgendwie auf einen selber, – fällt, so daß man sich selber bewußt macht, denn primär glaube ich sieht man da die Funktion oder die **Abhängigkeit von einem selber von den Seminarlehrern**, das ist eigentlich das, was zunächst einmal dominierend war, – während des Studiums war ja mal diese pädagogische Praxis, der Praxisnachweis, daß man also mal an Schulen geht und ein paar, das ist glaube ich jetzt intensiviert worden.

F: Hmm, ja.

L: Früher war das also noch nicht und da ist man nur über 14 Tage in die eine oder andere Klasse gegangen, meistens nur hospitiert und irgendwann dann auch Unterricht gehalten, dann habe ich mir auch gedacht, um Gottes Willen, das ist eigentlich trübsinnig, so hab ich mir das nicht vorgestellt, da müßte man vielleicht mehr das und das machen, nur zu dem was man da,

– diese Vorstellung, die man da vielleicht entwickelt, die kann man in der Referendarzeit überhaupt nicht irgendwie verwirklichen, und ich sehe es eigentlich selber, – habe es eigentlich auch nicht selber so gesehen, natürlich, mehr – meine Rolle dann mehr, wie alle anderen wohl auch, – alle anderen Referendare auch, **daß man irgendwie – schaut möglichst günstig beurteilt zu werden,** und jeder sucht sich da irgendwie (lacht) vielleicht ein Konzept aus, oder meint eins zu finden.

F: Hmm.

L: Wie er dann am ehesten dann vielleicht die Vorstellungen des Seminarlehrers realisiert und das **führt natürlich dann schon zu einem Konflikt**, wenn man, – selber eigentlich in der Situation was anderes machen wollte, aber wegen äußeren Kriterien, die eben zur Bewertung erklärtermaßen anstehen.

F: Hmm.

L: Vom Seminarleiter, -Lehrer würde diese – würde diese, ja Aktionsweise jetzt ja eben nicht adäquat sein und daher kann man sie auch nicht machen, das heißt also man würde, man muß auf Deutsch sofort sich von vornherein anpassen und umstellen auf das, was vom Seminarlehrer irgendwie ausgeht. Ja das war also nicht so...

F: Haben Sie da Probleme gehabt?

L: Bitte?

F: Hat es irgendwelche Probleme gemacht, ist das schwergefallen?

L: Doch, ja eigentlich schon, weil ichs nicht, weil ich irgendwie nicht der Typ bin, der das vom Anfang an, wenn man das, wenn man einer Klasse zum ersten Mal begegnet, das man hier, schematische Regeln abfahren kann.

F: Hmm.

L: Sondern man sucht ja doch die Beziehung zu den Schülern und dann würde als Schlußfolgerung der Reaktionen oder man würde auf die Schülerreaktionen vielleicht anders reagieren in manchen Fällen, als es irgendwie, – nach offizieller Maßgabe, – gewünscht wird, zum Teil auch wie man dann glaubt, daß es richtig ist, wobei man sich dann auch vielleicht dann auch hin und wieder mal verschätzen kann (lacht).

F: Hmm.

L: Es kann auch sein, daß sich dieses, das gebe ich durchaus zu, daß dies also vielleicht nicht mal – real gesehen so scharf ist, wie es auf mich selbst gewirkt hat, ja. **Es kann sein, daß ich da durchaus, – überdurchschnittlich sensibel bin** dann in der Richtung, das könnte sein.

F: Hmm.

L: Aber ich weiß also im Gespräch mit Kollegen aus dem Seminar, daß das also mehrheitlich die anderen auch so empfunden haben.

F: Und vor allem liegt das an den Vorstellungen, die die Seminarlehrer haben?

L: Ja an den Vorstellungen, zum einen und dann – aus der doch permanent herrschenden – das permanent herrschende – Gefühl oder Bewußtsein, man muß eine gute Note möglichst gute Note schaffen.

F: Hmm.

L: Und – man wird ja mehr oder weniger unverblümt auch gesagt, daß eben der Notenschnitt auf Grund der Bewährung irgendwie wieder angepaßt werden muß, also – die Noten sind ja nicht so wie in der Schulklasse an sich, sondern von den Verbaldefinitionen her, so daß von daher natürlich – man eben versucht auf Biegen oder Brechen möglichst gut abzuschneiden.

F: Also das ist, sagen wir einmal, so ein Anpassungsdruck?

L: Das würde ich also auf alle Fälle sehen, ja.

F: Hmm.

L: Es könnte höchstens sein, daß das dann in nächster Zeit vielleicht nicht mehr ist, nachdem dann jeder weiß, er kommt sowieso nicht dran (lacht lauthals).

F: (lacht auch) Und wie hat sich das dann gelöst, das Problem.

L: Ich würde sagen, **es war bis zum Schluß**, also bis zum mündlichen zweiten Staatsexamen, das ja aus der Referendarzeit nur 1/7tel zählt, war das eigentlich bis zum Schluß schon vorhanden.

F: Hmm.

L: Na ja, sagen wir einmal, nach der dritten Lehrprobe dann nicht mehr.

F: Hmm.

L: Also bis zum Herbst.

F: Hat das irgendwie an Ihnen gezehrt?

L: Ja, das muß man schon sagen. Es ist ja auch die Möglichkeit gegeben, zur Verbesserung der Note, die Referendarzeit noch einmal zu machen.

F: Ja, ja.

L: Die würde dann noch einmal zählen, – aber da wäre ich, da hätte ich mich, also ganz ehrlich gesagt, nicht in der Lage gesehen, rein psychisch.

F: Hmm.

L: Zumal noch rein rechnerisch her das gar nichts bringen würde, nachdem das nur zu 2/5tel zählt zu der Gesamtnote.

F: Das ist natürlich wenig.

L: Und ich meine, da mache ich mir nichts vor, Einserlehrproben bringe ich nicht und der Eindruck, da würde ich auch keine Eins rausholen, dadurch ist das illusorisch. Da kann man sich maximal in der Gesamtnote, glaube ich, um 3/10tel verbessern. Und damit ist einem mit der einen Note auch nicht viel geholfen.

F: Hmm. – Hat das irgendwie eine Auswirkung auf das Selbstvertrauen gehabt, dieser Anpassungsdruck?

L: – (kleinlaut) Ja eigentlich schon, – es ist halt irgendwie hat sich das

124

abgeschliffen im Alltag, das weiß ich auch nicht, wie ich das ausdrücken soll (lacht) – Ich habe, es war also nicht so, daß was du dir vorher gedacht hast, war ja nicht völlig falsch, oder, „Du kannst halt nun doch nicht mit Kindern umgehen", zu diesem Schluß bin ich also nicht gekommen, -- es ist glaube ich – **es zehrt halt an einem, und von daher, – kratzt es schon also das eigene Ich eben an.**

F: Hmm.

L: Wobei es einfach typmäßig unterschiedlich ist, glaube ich, manchen macht es weniger aus, die spielen da mehr, die sehen das eben mehr als sagen wir mal vielleicht kann man das auch so sehen, daß das die pädagogischen Fähigkeiten, daß die die schon mitbringen, wobei da aber doch die pädagogischen Fähigkeiten da doch in Anführungszeichen setzen würde, daß die eben sagen, das muß man so machen, das muß man so machen, dann machen die das so. Und wenn sie Glück haben, dann klappts dann auch so und weil die es so gemacht haben, ist das dann gut, ne.

F: Hmm.

L: Das ist vielleicht etwas überspitzt formuliert – Es ist, glaube ich auch sehr wichtig, gerade bei Sport, da bin ich also nicht der Typ, je – möchte nicht sagen extravertiert, je temperamentvoller einer einfach vom Typ her ist, wenn er spricht oder wenn er lebendig mit Erwachsenen umgeht, oder ständig – neue Ideen auf Lager hat oder auch mal Kritik an – Seminarlehrern vielleicht bringt, aber sofort in ein Bonmot gekleidet, also *Conferenciertyp* mehr; da glaube ich, die kommen mächtig an.

F: Ja, hmm (etwas unsicher).

L: Das ist dann irgendwie auch wieder Mentalitätssache. Wie kann man das irgendwie beurteilen (lacht) oder zum Gradmesser machen!?

Fall D:

L: Das kommt doch darauf an, mit welchen Erwartungen man an die Schule rangeht. Ich habe also sehr, sehr, ich habe also, geringe Erwartungen, sagen wir mal ideologischer oder pädagogischer Art an meine Seminarausbildung gestellt. Ich habe also mir nicht vorgenommen, daß ich jetzt nach einem bestimmten, sagen wir mal, nach einem bestimmten Muster, oder mit bestimmten Ideen jetzt diese Lehrertätigkeit jetzt ausüben möchte, sondern, ich habe einfach gehofft, daß ich bei den Kindern ankomme und daß ich das, was ich zu tun habe, als meinen Job, auch so gut wie möglich dann vermitteln kann und ihnen dann noch persönlich irgendwas noch beibringen kann, also diese zwei Komponenten fachlich/persönlich.

F: Und das hat geklappt?

L: Nein! (lacht) Hat nicht geklappt, also meine, sagen wir mal so, diese pragmatischen Erwartungen, die sind eh schon ein bisserl, die sind so ziemlich gering, die haben auch noch nicht hingehauen. Eben Gründe dafür, als a) eben weil man **überhaupt keine Übung** hat, man steht da und ist einfach ein Mensch und kein Lehrer vor der Klasse. Und das wird **nicht akzeptiert**. Dann zweitens die Situation an der Seminarschule. Die Kinder immer in so einer Seminarschule, die sagen, aha, jetzt schon wieder einen neuen Referendar. Da ist man oft der dritte Referendar in einem Jahr, das darf man nicht vergessen, was die Kinder da alles mitmachen. Schon wieder einer!

F: Die wissen das ja.

L: Die wissen genau, daß man kein selbständiger Lehrer ist, sondern nur einer, der von oben auch Druck kriegt. Das ist der zweite Punkt. Und dann der dritte Punkt ist, daß der, der der **Druck von, von den Seminarlehrern**. Daß man, die machen einen zur Schnecke, alles – jedes Wort und jede Geste und überhaupt alles. Wer man überhaupt ist, **man wird erst mal kaputt gemacht**, durch Kritik. Da wird nur kritisiert, das war bei mir so. Und dann ist man, **das Selbstvertrauen ist Null** und dann soll man vor die Klasse gehen und Selbstsicherheit und, und, und fachliche Autorität und überhaupt Autorität ausströmen, diese, diesen Konflikt, den kann man nicht bewältigen, das geht nicht.

F: Wie haben Sie das dann aufgelöst für sich?

L: Das war so. Jedesmal, wenn, wenn, also in dem ersten und im dritten Abschnitt, **das war das reine Chaos**! In der Zweigschule ging es besser! Da war man relativ selbständig. Und für mich selbst, das hat also, **das hat einen fix und fertig gemacht**, das ging uns allen so. Und es ist also, so groß ist man rausgekommen aus der Seminarausbildung: ganz, ganz, ganz klein.

F: Und der Hauptfaktor war da der Druck von den Seminarlehrern?

L: Ja, und die Kritik, der man ausgesetzt war. Man hat nun jetzt gemeint, zum Schluß z.B., man hat jetzt ein ganzes Jahr Klassen zur einigermaßen Zufriedenheit jetzt geführt. Oder **manchmal hat man wirklich ein gutes Verhältnis gehabt**, also ist gut ausgekommen. Dann kommt man zurück und jede Stunde, die man gehalten hat, die wird zerrissen bis ins kleinste. Und da meint man, wer man überhaupt war. Das Selbstvertrauen, daß man überhaupt über **das ganze Jahr nur Mist gebaut** hat, daß überhaupt nichts gestimmt hat, was man jemals gemacht hat. Dieses Gefühl hat man.

F: Alles andere waren dann Folgeprobleme, daß man nicht gut mit der Klasse auskam?

L: Mei, **wir sind schon gut mit der Klasse ausgekommen, da wir jetzt schon etwas mehr Lehrerfahrung hatten**, also wir wissen, aufgrund der einjährigen Erfahrung an den Zweigschulen, da haben, da wissen wir jetzt schon, wie man Kindern was beibringt. Aber, daß das nicht akzeptiert wurde von den Seminarlehrern, das hat uns zu schaffen gemacht.

F: Ich meine vor allem auch ganz am Anfang, wenn man frisch reinkommt.

L: Das war überhaupt, wenn ich da zurückdenke...

F: war das reine Chaos.

L: Ja, war das reine Chaos. Innerlich, persönlich und dann dieser Schock über die Seminarlehrer und die Situation in den Klassen. Als wir da zum ersten Mal allein gelassen wurden, ohne Seminarlehrer hinten drin, also die Schüler, **die haben durchgedreht und getobt und gerauft** und da (lacht) war der Schock, sich jetzt erstmal durchzusetzen in der Klasse. Das ist der erste Schritt. Der zweite Schritt ist, daß, wenn man diesen, wenn man mal da vorne steht und kann Ruhe in die Klasse bringen, daß man dann noch etwas vermitteln kann. Und das haben wir am Anfang überhaupt nicht fertig gebracht, **weil da doch eine bestimmte Methode dazu gehört und die muß man erst mal lernen.**

Literaturverzeichnis

Abels, H.; Heinze, Th.; Horstkemper, M. u. Klusemann, H.-W.: Lebensweltanalyse von Fernstudenten. Qualitative Inhaltsanalyse – theoretische und methodische Überlegungen, Werkstattbericht – Hagen: FernUniversität, 1977.

Adorno, Tzh. W. u. a.: Der Positivismusstreit in der deutschen Soziologie. Darmstadt: Luchterhand, 1969.

Andersson, B.: The Quantifier as Qualifier. Some Notes on Qualitative Elements in Quantitative Content Analysis. Gothenburg: University Publication No. 3, 1974.

Arbeitsgruppe Bielefelder Soziologen (Hrsg.): Alltagswissen, Interaktion und gesellschaftliche Wirklichkeit 1 und 2, Reinbek: Rowohlt, 1973.

Asendorpf, J. u. Wallbott, H. G.: Maße der Beobachterübereinstimmung. Ein systematischer Vergleich. Zeitschrift für Sozialpsychologie, 10, 1979, S. 243-252.

Austin, J. L.: Zur Theorie der Sprechakte. Stuttgart: Reclam, 1979.

Baacke, D.: Aus Geschichten Lernen. München: Juventa, 1979.

Ballstaedt, S.-P.; Mandl, H.; Schnotz, W. u. Tergan, S.-O.: Texte verstehen, Texte gestalten. München: Urban & Schwarzenberg, 1981.

Banister, P., Burman, E., Parker, I., Taylor, M. & Tindall, C.: Qualitative methods in psychology. A research guide. Buckingham: Open University Press, 1994.

Barton, A. H. u. Lazarsfeld, P. E.: Einige Funktionen von qualitativer Analyse in der Sozialforschung. In: Hopf u. Weingarten, 1979, S. 41-89.

Becker, J. u. Lißmann, H.-J.: Inhaltsanalyse – Kritik einer sozialwissenschaftlichen Methode. In: Arbeitspapiere zur politischen Soziologie 5. München: Olzog, 1973.

Becker-Schmidt u. Bilden, H.: Impulse für qualitative Sozialforschung aus der Frauenforschung. In: U. Flick et al. (Hrsg.), Handbuch qualitative Sozialforschung (S. 23-32). München: Psychologie Verlags Union, 1991.

Berelson, B.: Content Analysis in Communication Research. Glencoe, Ill.: Free Press, 1952.

Bertaux, D. u. Kohli, M.: The life story approach: A continental view. Annual Review of Sociology, 1984, 10, 215-237.

Bessler, H.: Aussagenanalyse. Bielefeld: Bertelsmann Universitätsverlag, 1970. Blumer, H.: Der methodologische Standpunkt des symbolischen Interaktionismus. In: Arbeitsgruppe Bielefelder Soziologen, Bd. 1, 1973, S. 80-146.

Blumer, H.: Der methodologische Standpunkt des Symbolischen Interaktionismus. In: Arbeitsgruppe Bielefelder Soziologen, Alltagswissen, Interaktion und gesellschaftliche Wirklichkeit, Band 1 (S. 80-146). Reinbek: Rowohlt, 1973.

Böhm, A.: Bedarfserhebung für eine EDV-Unterstützung bei der Archivierung und Interpretation von Texten. Univ. Manuskript. TU Berlin: Interdisziplinäres Forschungsprojekt ATLAS, 1989.

Böhm, A.: Vorschläge zur psychologischen Textinterpretation. Forschungsbericht Nr. 91-1. TU Berlin: Interdisziplinäres Forschungsprojekt ATLAS, 1991.

Bogdan, R. u. Taylor, S. J.: Introduction to Qualitative Research Methods. New York: Wiley, 1975.

128

Bos, W. & Tarnai, C. (Hrsg.): Computerunterstützte Inhaltsanalyse in den Empirischen Sozialwissenschaften. Theorie – Anwendung – Software. Münster: Waxmann, 1996.

Brent, E.: Qualitative computing: approaches and issues. Qualitative Sociology, 7, 1984, S. 34-60.

Carney, T. F.: Content Analysis. A Technique for Systematic Inference from Communications. London: Batsford, 1972.

Cartwright, D. P.: Analysis of Qualitative Material. In: Festinger u. Katz, 1966, S. 421-469.

Cicourel, A. V.: Methode und Messung in der Soziologie. Frankfurt: Suhrkamp, 1970.

Coreth, E.: Grundfragen der Hermeneutik, Freiburg: Herder, 1969.

Cremers, E. u. Reichertz, J.: Interaktionstyp: „Interview". Zur Bedeutung des Sequenzierungsaspektes innerhalb konversationsanalytisch orientierter Datenanalyseverfahren. In: Heinze u.a. 1980, S. 235-272.

Dann, H.-D.; Cloetta, B.; Müller-Fohrbrodt, G. u. Helmreich, R.: Umweltbedingungen innovativer Kompetenz. Eine Längsschnittuntersuchung zur Sozialisation von Lehrern in Ausbildung und Beruf. Stuttgart: Klett-Cotta, 1978.

Dann, H.-D.; Müller-Fohrbrodt, G. u. Cloetta, B.: Sozialisation junger Lehrer im Beruf: „Praxisschock" drei Jahre später. Zeitschrift für Entwicklungspsychologie und Pädagogische Psychologie, 13, 1981, S. 251-262.

Dann, H.-D.; Humpert, W.; Krause, F. u. Tennstädt, K.-Chr. (Hrsg.): Analyse und Modifikation subjektiver Theorien von Lehrern. Forschungsberichte 43 des Zentrum I Bildungsforschung, Sonderforschungsbereich 23 der Universität Konstanz. Konstanz, 1982.

Danner, H.: Methoden geisteswissenschaftlicher Pädagogik. München: Reinhardt, 1979.

van Dijk, T. A.: Macrostructures. Hillsdale, N. J.: Erlbaum, 1980.

Dittmann, J. (Hrsg.): Arbeiten zur Konversationsanalyse. Tübingen: Niemeyer, 1979.

Dtv-Lexikon. München: Deutscher Taschenbuchverlag, 1966.

Douglas, J. D. (Ed.): Understanding everday life. London: Routledge, 1970.

Eckes, Th. u. Six, B.: Prototypen und Basiskategorien zur alltagssprachlichen Kategorisierung von Objekten, Personen und Situationen. In: G. Lüer (Hrsg.), Bericht über den 33. Kongreß der DGfPs. Band 1. Göttingen: Hogrefe 1983, S. 246-252.

Ehlich, K. u. Rehbein, J.: Sprachliche Handlungsmuster. In: Soeffner, 1979, S. 243-274.

Ehlich, K. u. Switalla, B.: Transkriptionssysteme – Eine exemplarische Übersicht. In: Studium Linguistik, 1, 1976, S. 78-105.

Enzensberger, H. M.: Einzelheiten I – Bewußtseins-Industrie. Frankfurt: Suhrkamp, 1962.

Erickson, F.: Qualitative methods in research on teaching. In: M. Wittrock (Ed.), Handbook of research on teaching (119-161). London: Macmillan, 1987.

Erikson, E. H.: Young man Luther. A study in psychoanalysis and history. London: Faber, 1959.

Festinger, L. u. Katz, D. (Eds.): Research Methods in the Behaviorial Sciences. New York: Holt, 1966.

Fielding, N. G. & Lee, R. L. (Hrsg.): Using computers in qualitative research. London: Sage, 1991.

Filstead, W. J.: Qualitative Methodology. First Hand Involvement with the Social World. Chicago: Markham, 1970.

Fischer, W.: Struktur und Funktion erzählter Lebensgeschichten. In: Kohli, 1978, S. 311-352.

Flick, U.: Methodenangemessene Gütekriterien in der qualitativ-interpretativen Forschung. In: Bergold, J. B. u. Flick, U. (Hrsg.), Ein-Sichten. Tübingen: dgvt 1987, S. 247-262.

Friede, Ch.: Verfahren zur Bestimmung der Intercoderreliabilität für nominalskalierte Daten. Zeitschrift für Empirische Pädagogik, 5, 1981, S. 1-25.

Friedrichs, J.: Methoden empirischer Sozialforschung. Reinbek: Rowohlt, 1973.

Fuchs, W.: Biographische Forschung. Eine Einführung in Praxis und Methode. Opladen: Westdeutscher Verlag, 1984.

Fühlau, I.: Untersucht die Inhaltsanalyse eigentlich Inhalte? Inhaltsanalyse und Bedeutung. Publizistik, 23, 1978, S. 7-18.

Fühlau, J.: Die Sprachlosigkeit der Inhaltsanalyse. Linguistische Bemerkungen zu einer sozial-wissenschaftlichen Analyse. Tübingen: Narr, 1982.

Gadamer, A. G. u. Boehm, G. (Hrsg.): Seminar: Philosophische Hermeneutik. Frankfurt: Suhrkamp, 1976.

Garfinkel, H.: Das Alltagswissen über soziale und innerhalb sozialer Strukturen. In: Arbeitsgruppe Bielefelder Soziologen, 1973, S. 189-262.

George, A. L.: Quantitative and qualitative approaches to content analysis. In: Pool, 1959, S. 7 32.

Gerbner, G.; Holsti, O. R.; Krippendorff, K.; Paisley, W. J. u. Stone, Ph. J. (Eds.): The Analysis of Communication Content. New York: Wiley, 1969.

Gerbner, G.: Toward „Cultural Indicators": The Analysis of Mass Mediated Public Message System. In: Gerbner u. a., 1969, S. 123-132.

Glaser, B. G. u. Strauss, A. L.: Die Entdeckung gegenstandsbezogener Theorie: Eine Grundstrategie qualitativer Sozialforschung. In: Hopf u. Weingarten, 1979, S. 91-111.

Gottschalk, L. A. u. Gleser, G. C.: The Measurement of Psychological States through the Content Analysis of Verbal Behavior. Los Angeles: University of California Press, 1969.

Greismas, A. J.: Strukturale Semantik. Braunschweig: Vieweg, 1971.

Groeben, N. u. Scheele, B.: Argumente für eine Psychologie des reflexiven Subjekts. Darmstadt: Steinkopff, 1977.

Gstettner, P.: Biographische Methoden in der Sozialisationsforschung. In: Hurrlemann u. Ulich, 1980, S. 371-392.

Guski, R.: Deutsche Briefe über Ausländer. Bern: Huber, 1986.

Hänsel, D.: Die Anpassung des Lehrers. Zur Sozialisation in der Berufspraxis. Weinheim: Beltz, [2]1976.

Harding, S.: Feminism and methodology: Social science issues. Bloomington, Ind.: Indiana University Press, 1987.

Harris, Z. S.: Discourse Analysis. Language, 28, 1952, S. 1-30.

Haußer, K.: Die Entwicklung von Schülern als Produkt ihrer individuellen Behandlung durch den Lehrer. Unveröffentlichte Diplomarbeit. München, 1972.

Haußer, K. u. Mayring, Ph.: Berufsinteresse von Lehrern – Ein Vorschlag zur Operationalisierung. Psychologie in Erziehung und Unterricht, 29, 1982, S. 295-302.

Haußer, K.; Mayring, Ph. u. Strehmel, P.: Praktische Probleme bei der Inhaltsanalyse offen erhobener Kognitionen, diskutiert am Beispiel der Variablen „Berufsinteresse arbeitsloser Lehrer". In: Dann u. a. 1982, S. 159-173.

Heidegger, M.: Sein und Zeit. Tübingen: Niemeyer, [10]1963.

Heinze, Th. u. Klusemann, H.-W.: Versuch einer sozialwissenschaftlichen Paraphrasierung am Beispiel des Ausschnittes einer Bildungsgeschichte. In: Heinze u.a., 1980, S. 97-152.

Heinze, Th.; Klusemann, H. u. Soeffner, H. G. (Hrsg.): Interpretation einer Bildungsgeschichte. Überlegungen zur sozialwissenschaftlichen Hermeneutik. Bensheim: päd. extra, 1980.

Heinze, Th., Loser, F. W. u. Thiemann, E.: Praxisforschung. Wie Alltagshandeln und Reflexion zusammengebracht werden können. München: Urban & Schwarzenberg, 1981.

Heinze, Th.; Müller, E.; Stickelmann, B. u. Zinnecker, J.: Handlungsforschung im pädagogischen Feld. München: Juventa, 1975.

Heinze, Th. u. Thiemann, E.: Kommunikative Validierung und das Problem der Geltungsbegründung. Zeitschrift für Pädagogik, 28, 1982, S. 635-642.

Henne, H.: Gesprächsanalyse – Aspekte einer pragmatischen Sprachwissenschaft. In: Wegner, 1977, S. 67-92.

Heringer, H. J.: Praktische Semantik. Stuttgart: Klett, 1974.

Herkner, W.: Inhaltsanalyse. In: Koolwijk u. Wieken-Mayser, 1974, S. 158-191.

Herrmann, U.: Biographische Konstruktionen und das gelebte Leben. Prolegomena zu einer Biographie- und Lebenslaufforschung in pädagogischer Absicht. Z. f. Pädagogik, 33, 1987, 303-323.

Hofstätter, P. R.: Psychologie (Das Fischer Lexikon). Frankfurt: Fischer, 1957.

130

Holsti, O. R.: Content Analysis for the social and humanities. Reading, Mass.: Addison-Wesley, 1969a.

Holsti, O. R.: Introduction to Part II. In: Gerbner, 1969, S. 109-122.

Hopf, Ch.: Soziologie und qualitative Sozialforschung. In: Hopf u. Weingarten, 1979, S. 11-37.

Hopf, C. u. Weingarten, E. (Hrsg.): Qualitative Sozialforschung. Stuttgart: Klett, 1979.

Huber, G. L. (Hrsg.): Computergestützte qualitative Analyse in der Sozialforschung. München: Oldenbourg, 1992.

Huber, G. L. u. Mandl, H. (Hrsg.): Verbale Daten. Eine Einführung in die Grundlagen und Methoden der Erhebung und Auswertung. Weinheim: Beltz, 1982.

Hurrelmann, K. u. Ulich, D.: Handbuch der Sozialisationsforschung. Weinheim: Beltz, 1980.

Jahoda, M.; Lazarsfeld, P. F. u. Zeisel, H.: Die Arbeitslosen von Marienthal. Frankfurt: Suhrkamp, 1975.

Jüttemann, G. u. Thomae, H. (Hrsg.): Biographie und Psychologie. Berlin: Springer, 1987.

Jüttemann, G. (Hrsg.): Qualitative Forschung in der Psychologie. Weinheim: Beltz, 1985.

Klafki W. u. a.: Erziehungswissenschaft, Band 3. Frankfurt: Fischer, 1971.

Klafki, W.: Hermeneutische Verfahren in der Erziehungswissenschaft. In: Klafki u.a., 1971, S. 126-153.

Klafki, W.: Aspekte kritisch-konstruktiver Erziehungswissenschaft. Weinheim: Beltz, 1976.

Klingemann, H. D.: Computergestützte Inhaltsanalyse in der Empirischen Sozialforschung. Königstein: Athenäum, 1982.

Klüver, J.: Kommunikative Validierung – einige vorbereitende Bemerkungen zum Projekt „Lebensweltanalyse von Fernstudenten". In: Heinze, 1979, S. 68-84.

Koch, J. J.: Lehrer- Studium und Beruf. Einstellungswandel in den beiden Phasen der Ausbildung. Ulm: Süddeutsche Verlagsgesellschaft, 1972.

Koch, V.; Witte, H. u. Witte, E. H.: Die Inhaltsanalyse als Meßinstrument. Methodenkritische Aspekte einiger Inhaltsanalysen von Publikumszeitschriften. Publizistik, 19, 1974, S. 177-184.

Köckels-Stangl, E.: Methoden der Sozialisationsforschung. In: Hurrelmann, K. u. Ulich, D., 1980, S. 321-370.

König, E. & Zedler, P. (Hrsg.): Bilanz qualitativer Forschung, Band I und II. Weinheim: Deutscher Studien Verlag, 1995.

König, R. (Hrsg.): Handbuch der Empirischen Sozialforschung, Band 1. Stuttgart: Enke, 1967.

Kohli, M. (Hrsg.): Soziologie des Lebenslaufes. Darmstadt: Luchterhand, 1978.

Kohli, M.: „Offenes" und „geschlossenes" Interview. Neue Argumente zu einer alten Kontroverse. Soziale Welt, 29, 1978a, S. 1-25.

Koolwijk, J. u. Wieken-Mayser, H. (Hrsg.): Techniken der empirischen Sozialforschung, Bd. 3. München: Oldenburg, 1974.

Kracauer, S.: Für eine qualitative Inhaltsanalyse. Ästhetik und Kommunikation, 3, 1972, S. 53 58.

Krippendorff, K.: Introduction to Part I. In: Gerbner, 1969, S. 3-16.

Krippendorff, K.: Models of Messages. Three Prototypes. In: Gerbner, 1969a, S. 69-106.

Krippendorff, K.: Content Analysis. An Introduction to its Methodology. Beverly Hills, London: Sage, 1980.

Kriz, J.: Inhaltsanalyse und EDV. In: Lisch u. Kriz 1978, S. 105-123.

Kuckartz, U.: Computer und verbale Daten. Chancen zur Innovation sozialwissenschaftlicher Forschungstechniken. Frankfurt: Lang, 1988.

Lagerberg, D.: Kontext och funktion. Summary: Contribution to the Theory and Method of Content Analysis. Uppsala: Dissertation, 1975.

Legewie, H.; Wiedemann, P. M. & Diepen, M. van: Arbeitsmaterialien zur Durchführung und Auswertung offener (biographischer) Interviews. Unv. Manuskript. Institut für Psychologie der TU Berlin, 1988.

Lepsius, M. R. (Hrsg.): Zwischenbilanz der Soziologie. Stuttgart: Enke, 1976.

Lewin, K.: Werkausgabe, Band 1 (C.-F. Graumann, Hrsg.). Wissenschaftstheorie 1. Bern: Huber, 1981.

Lewin, K.: Die Lösung sozialer Konflikte. Aktionsforschung und Minderheitenprobleme. Kurt Lewin. Gesamtausgabe Bd. 7. Bern: Huber 1982.

Lisch, R.: Stichproben. In: Lisch u. Kriz, 1978a, S. 56-68, a.

Lisch, R. u. Kriz, J.: Grundlagen und Modelle der Inhaltsanalyse. Reinbek: Rowohlt, 1978.

Lisch, R.: Assoziationsstrukturenanalyse (ASA). Ein Vorschlag zur Weiterentwicklung der Inhaltsanalyse. Publizistik, 24, 1979, S. 65-83.

Lißmann, U.: Die computerunterstützte Inhaltsanalyse als Instrument der empirisch-pädagogischen Forschung. In: W. Bos & C. Tarnai, Angewandte Inhaltsanalyse in Empirischer Pädagogik und Psychologie (S. 241-251). Münster: Waxmann, 1989.

Lüger, H.-H.: Semantische Analyse publizistischer Texte. Publizistik, 19, 1974, S. 30-44.

Maas, V. u. Wunderlich, D.: Pragmatik und sprachliches Handeln. Frankfurt: Athenäum, 1972.

Magnus, U.: Aussagenanalyse. Eine Untersuchung des 1. Fernsehprogramms. Hamburg: Bredow Institut, 1966.

Mahl, G. E.: Exploring emotional states by content analysis. In: Pool, 1959, S. 89-130.

Mahoney, M. J.: Kognitive Verhaltenstherapie. München: Pfeiffer, 1977.

Mandl, H. (Hrsg.): Zur Psychologie der Textverarbeitung. Ansätze, Befunde, Probleme. München: Urban & Schwarzenberg, 1981.

Mayring, Ph.: Die Inhaltsanalyse als sozialwissenschaftliche Methode. Unveröffentlichte Magisterarbeit. München, 1978.

Mayring, Ph.: Die qualitative Wende. Grundlagen, Techniken und Integrationsmöglichkeiten qualitativer Forschung in der Psychologie. In: W. Schönpflug (Hrsg.), Bericht über den 36. Kongreß des DGfPs in Berlin. Göttingen: Hogrefe, 1989, 306-313.

Mayring, Ph.: Einführung in die qualitative Sozialforschung. (3. Auflage). Eine Anleitung zu qualitativem Denken. Weinheim: Psychologie Verlags Union, 1996.

Mayring, Ph.: Analytische Schritte bei der Textinterpretation. In L. G. Huber (Hrsg.), Computergestützte qualitative Analyse in der Sozialforschung. München: Oldenbourg, 1992.

Mayring, Ph.: Einführung in die qualitative Sozialforschung. Eine Anleitung zu qualitativem Denken (2. erw. Aufl.). München: Psychologie Verlags Union, 1993.

Mead, G. H.: Geist, Identität und Gesellschaft. Frankfurt: Suhrkamp, 1968.

Merten, K.: Inhaltsanalyse. Einführung in Theorie, Methode und Praxis. Opladen: Westdeutscher Verlag, 1983.

Mertens, W.: Sozialpsychologie des Experiments. Hamburg: Hoffmann & Campe, 1975.

Métraux, A.: Der Methodenstreit und die Amerikanisierung der Psychologie in der Bundesrepublik 1950-1970. In: M. G. Ash und U. Geuter (Hrsg.), Geschichte der deutschen Psychologie im 20. Jahrhundert, Opladen: Westdeutscher Verlag, 1985.

Meyers Großes Taschenlexikon. Mannheim: Bibliographisches Institut, 1981.

Mohler, P. Ph.: Computerunterstützte Inhaltsanalyse – zwischen Algorithmen und Mythen. Sprache und Datenverarbeitung, 9, 1985, 11-15.

Mohler, P. Ph., Züll, C. & Gleis, A.: Die Zukunft der computerunterstützten Inhaltsanalyse (cui). ZUMA-Nachrichten Nr. 25, 1989, 39-46.

Mollenhauer, K. u. Rittelmeyer, Chr.: Methoden der Erziehungswissenschaft. München: Juventa, 1977.

Moser, H.: Methoden der Aktionsforschung. München, Kösel, 1977.

Müller-Fohrbrodt, G.; Gloetta, B. u. Dann, H.-D.: Der Praxisschock bei jungen Lehrern. Formen, Ursachen, Folgerungen. Stuttgart: Klett, 1978.

Muhr T.: ATLAS/ti. Kurzmanual zur Beta-Version. Manuskript. TU-Berlin: Interdisziplinäres Forschungsprojekt ATLAS, 1991.

Niessen, M.: Gruppendiskussion. München: Fink, 1977.

Niethammer, L.: Oral History in den USA. Archiv für Sozialgeschichte, 18, 1976, 454-501.

Oevermann, U.; Allert, T.; Gripp, H.; Konau, J. E.; Krambeck J.; Schröder, E.; Caesar, I. u. Schütze, Y.: Beobachtungen zur Struktur der sozialisatorischen Interaktion. In: Lepsius, 1976, S. 274-295.

Oevermann, U.; Allert, T. u. Konau, E.: Zur Logik der Interpretationen von Interviewtexten: Fallanalyse anhand eines Interviews mit einer Fernstudentin. In: Heinze, 1980, S. 15-69.

Oevermann, U.; Allert, T.; Konau, E. u. Krameck, J.: Die Methodologie einer „objektiven" Hermeneutik und ihre allgemeine forschungslogische Bedeutung in den Sozialwissenschaften. In: Soeffner, 1979, S. 352-434.

Osgood, Ch. E.: The Representational Model and Relevant Research Methods. In: Pool, 1959, S. 33-88.

Patry, J.-L. (Hrsg.): Feldforschung. Methoden und Probleme sozialwissenschaftlicher Forschung unter natürlichen Bedingungen. Bern: Huber, 1982.

Paul, S.: Begegnungen. Zur Geschichte persönlicher Dokumente in Ethnologie, Soziologie und Psychologie. 2 Bände. Hohenschäftlarn: Renner, 1979.

Petermann, F. u. Hehl, F.-J. (Hrsg.): Einzelfallanalyse. München: Urban & Schwarzenberg, 1979.

Pfaffenberger, B.: Microcomputer applications in qualitative research. Beverly Hills, CA: Sage, 1988.

Plummer, K.: Documents of life. London: Allen & Unwill, 1983.

Polkinghorne, D.: Methodology for the human sciences: Systems of inquiry. Albany: State University of New York Press, 1983.

Pollock, F. (Hrsg.): Gruppenexperiment. Frankfurt: Europäische Verlagsanstalt, 1955.

Pool, I. d. S.: Trends in content analysis. Urbana. University of Illinois Press, 1959.

Popper, K. R.: Logik der Forschung. Tübingen: Mohr, (8. Aufl.), 1984.

Projektgruppe „Textinterpretation und Unterrichtspraxis". Projektarbeit als Lernprozeß. Frankfurt: Suhrkamp, 1974.

Rabinow, P. & Sullivan, W.P. (Ed.): Interpretive social science. Berkeley: University of California Press, 1979.

Riedel, M.: Verstehen oder Erklären? Stuttgart: Klett, 1978.

Ritsert, J.: Inhaltsanalyse und Ideologiekritik. Ein Versuch über kritische Sozialforschung. Frankfurt: Athenäum, 1972.

Rizzo, T. A., Corsaro, W. A. & Bates, J. E.: Ethnoigraphic methods and interpretive analysis: Expanding the methodological options of psychologists. Development Review, 12, 1992, 101-123.

Roethilisberger, F. R. u. Dickson, W. J.: Management and the worker. Cambridge/Mass.: Harvard University Press, 1939.

Rohracher, H.: Einführung in die Psychologie. München: Urban & Schwarzenberg, 1976.

Rosenzweig, M. R. u. Porter, L. W. (Eds.): Annual Review of Psychology, Vol. 27. Palo Alto: Annual Reviews Inc. 1976.

Rotter, J. B.: Generalized expectancies for internal versus external control of reinforcement. Psychological Monographs, 80, 1966, S. 1-28.

Rotter, J. B.: Some problems and misconceptions related to the construct of internal versus external control of reinforcement. Journal of Consulting and Clinical Psychology, 1, 1975, S. 56-67.

Rühl, M.: Vom Gegenstand der Inhaltsanalyse. Rundfunk und Fernsehen, 24, 1976, S. 357-378.

Rust, H.: Qualitative Inhaltsanalyse – begriffslose Willkür oder wissenschaftliche Methode? Ein theoretischer Entwurf. Publizistik, 25, 1980a, S. 5-23.

Rust, H.: Struktur und Bedeutung. Studien zur qualitativen Inhaltsanalyse. Berlin: Spieß, 1980b.

Rust, H.: Methoden und Probleme der Inhaltsanalyse. Eine Einführung. Tübingen: Narr, 1981.

Rychlak, J. F. (Ed.): Dialectic: Humanistic rationale for behavior and development. Basel: Karger, 1976.

Scheerer, H. u. Tarnai, Ch.: Computerunterstützte Inhaltsanalyse von Verbalbeurteilungen in der Grundschule. In W. Bos & Ch. Tarnai (Hrsg.), Angewandte Inhaltsanalyse in Empirischer Pädagogik und Psychologie (S. 252-268). Münster: Waxmann, 1989.

Schlögell, V.: Computerunterstützte Textanalyse. Zum Beispiel: TEXTPACK. In W. Bos & Ch. Tarnai (Hrsg.), Angewandte Inhaltsanalyse in Empirischer Pädagogik und Psychologie (S. 252-268). Münster, Waxmann, 1989.

Schnotz, W.; Ballstaed, S. P. u. Mandl, H.: Kognitive Prozesse beim Zusammenfassen von Lehrtexten. In: Mandl, 1981, S. 108-167.

Schöfer, G. (Hrsg.): Gottschalk-Gleser-Sprachinhaltsanalyse. Theorie und Technik. Studien zur Messung ängstlicher und aggressiver Affekte. Weinheim: Beltz, 1980.

Schön, B.: Quantitative und qualitative Verfahren in der Schulforschung. In: Schön u. Hurrelmann, 1979, S. 17-29.

Schön, B. u. Hurrelmann, H. (Hrsg.): Schulalltag und Empirie. Neuere Ansätze in der schulischen und beruflichen Sozialisationsforschung. Weinheim: Beltz, 1979.

Schütze, F.; Meinefeld, W.; Springer, W. u. Weymann, A.: Grundlaentheoretische Voraussetzungen methodisch kontrollierten Fremdverstehens. In: Arbeitsgruppe Bielefelder Soziologen, Bd. 2, 1973, S. 433-495.

Schulte-Sasse, J. u. Werner, R.: Einführung in die Literaturwissenschaft. München: Fink, 1977.

Schulz, W.: Zum Stellenwert qualitativer Untersuchungsmethoden in der empirischen Forschung. Österreichische Zeitschrift für Soziologie, 5,1977, S. 63-68.

Schwarz, H. u. Jacobs, J.: Qualitative sociology. A method to the madness. New York: Free Press, 1979.

Searle, J.: Sprechakte. Frankfurt: Suhrkamp, 1971.

Silbermann, A.: Systematische Inhaltsanalyse. In: König, 1967, S. 570-599.

Sixtl, E.: Meßmethoden der Psychologie. Theoretische Grundlagen und Probleme. Weinheim: Beltz, 1967.

Smith, J. E. K.: Analysis of Qualitative Data. In: Rosenzweig u. Porter, 1976, S. 487-499.

Soeffner, H.-G. (Hrsg.): Interpretative Verfahren in den Sozial- und Textwissenschaften. Stuttgart: Metzler, 1979.

Stegmüller, W.: Probleme und Resultate der Wissenschaftstheorie und Analytischen Philosophie. Band II: Theorie und Erfahrung. Berlin: Springer, 1970.

Stone, Ph. J.; Dunphy, D.; Smith, M. S. u. Ogilvie, D. M.: The general inquirer: A computer approach to content analysis. Cambridge: MIT press, 1966.

Strauss, A. L.: Qualitative analysis for social scientists. Cambridge: University of Cambridge Press, 1987.

Strauss, A. & Corbin, J.: Basics of qualitative research. Grounded theory procedures and techniques. Newbury Park: Sage, 1990.

Strehmel, P.: Längsschnittmethodologie in der empirischen Pädagogik und der pädagogischen Psychologie. Unveröffentlichte Magisterarbeit. München, 1981.

Sullivan, E. V.: A critical psychology. Interpretation of the personal world. New York: Plenum, 1984.

Terhart, E.: Interpretative Unterrichtsforschung. Stuttgart: Klett, 1978.

Terhart, E.: Intuition – Interpretation – Argumentation. Zeitschrift für Pädagogik, 27, 1981, S. 769-793.

Tesch, R.: Qualitative research: Analysis types and software tools. London: Falmer Press, 1990.

Titzmann, M.: Strukturale Textanalyse. Theorie und Praxis der Interpretation. München: Fink, 1977.

Ulich, D.; Haußer, K.; Mayring, Ph.; Strehmel, P.; Kandler, M. u. Degenhard, B.: Psychologie der Krisenbewältigung. Eine Längsschnittuntersuchung mit arbeitslosen Lehrern. Weinheim: Beltz, 1985.

d'Unrug, M. Chr.: Analyse de contenue et acte de parole. Paris: Edition Universitaires, 1974.

Volmert, J.: Politischer Kommentar und Ideologie. Ein inhaltsanalytischer Versuch an vier frühen Nachkriegszeitungen. Stuttgart: Metzler, 1979.

Vorderer, P. u. Groeben, N. (Hrsg.): Textanalyse als Kognitionskritik? Möglichkeiten und Grenzen ideologiekritischer Inhaltsanalyse. Tübingen: Narr, 1987.

Watzlawick, P.; Beavin, J. H. u. Jackson, D. D.: Menschliche Kommunikation. Bern: Huber, 1969.

Weber, R. P.: Basic content analysis (2nd edition). Newburry Park: Sage, 1990.

Wegner, D.(Hrsg.): Gesprächsanalysen. Hamburg: Buske, 1977.

Weidle, R. u. Wagner, A. C.: Die Methode des lauten Denkens. In: Huber u. Mandl, 1982, S. 81 103.

Weingarten, E.; Sack, F. u. Schenkein, J. (Hrsg.): Ethnomethodologie – Beiträge zu einer Soziologie des Alltagshandelns. Frankfurt: Suhrkamp, 1976.

Wersig, G.: Inhaltsanalyse. Einführung in ihre Systematik und Literatur. Berlin: Spiess, 1968.

Weymann, A.: Bedeutungsfeldanalyse. Kölner Zeitschrift für Soziologie und Sozialpsychologie, 25, 1973, S. 761-776.

Whyte, W. E.: Street corner society. Chicago: The University of Chicago Press, 1943.

Wiedemann, P.: Möglichkeiten regelgeleiteter qualitativer Inhaltsanalyse. Manuskript. Berlin, 1981.

Wiedemann, P. M.: Erzählte Wirklichkeit. Zur Theorie und Auswertung narrativer Interviews. Weinheim: Psychologie Verlags Union, 1986.

Wilson, Th. P.: Normative and interpretative paradigms in sociology. In: Douglas, 1970, S. 57 79.

Wilson, Th. P.: Theorien der Interaktion und Modelle soziologischer Erklärung. In: Arbeitsgruppe Bielefelder Soziologen, 1973, S. 54-79.

Windelband, W.: Lehrbuch der Geschichte der Philosophie. Tübingen: Mohr, [14]1950.

Willey, M. M.: The Country Newspaper: A study of socialization and newspaper Content. Chapel Hill: University of North Carolina Press, 1929.

Witzel, A.: Verfahren der qualitativen Sozialforschung. Überblick und Alternativen. Frankfurt: Campus, 1982.

von Wright, G. H.: Erklären und Verstehen. Frankfurt: Athenäum, 1974.

Literaturergänzung zur 8. Auflage

Bortz, J. u. Döring, N.: Forschungsmethoden und Evaluation. Berlin: Springer, [2]1995.

Erzberger, Ch.: Zahlen und Wörter. Die Verbindung quantitativer und qualitativer Daten und Methoden im Forschungsprozess. Weinheim: Deutscher Studien Verlag, 1998.

Flick, U.: Qualitative Forschung – Theorien, Methoden, Anwendungen in Psychologie und Sozialwissenschaften. Reinbek: Rowohlt, [4]1999.

Kelle, U. (Ed.).: Computer aided qualitative data analysis: theory, methods and practice. London: Sage, 1998.

Mayring, Ph.: Kombination und Integration qualitativer und quantitativer Analyse. Forum Qualitative Sozialforschung, 2, H. 1 (http://www.qualitative-research.net/fqs) 2001.

Tashakkori, A. u. Teddli, C.: Mixed methodology: Combining qualitative and quantitative approaches. Thousand Oaks: Sage, 1998.

Trommsdorff, G. u. Endruweit, G.: Wörterbuch der Soziologie. Stuttgart: Lucius, [2]2002.

Weitzman, E.B. u. Miles, M.B.: Computer programs for qualitative data analysis. Thousand Oaks: Sage, 1995.

Qualitative Inhaltsanalyse – das Praxisbuch

Philipp Mayring
Michaela Gläser-Zikuda
(Hrsg.)
Die Praxis der Qualitativen
Inhaltsanalyse
2. Auflage 2008.
299 Seiten. Broschiert.
ISBN 978-3-407-25502-0

Die Qualitative Inhaltsanalyse zählt zu den am häufigsten angewandten qualitativ orientierten Auswertungsmethoden in Psychologie, Pädagogik und Soziologie. Sie wird aber auch in Kommunikationswissenschaft, Literaturwissenschaft und weiteren Kulturwissenschaften eingesetzt, die systematisch mit der Analyse von Texten arbeiten.

Zum ersten Mal werden in diesem Buch konkrete Anwendungsbeispiele unter inhaltlichen und methodischen Gesichtspunkten vorgestellt und diskutiert. Es zeigt sich, dass eine theorie- und regelgeleitete interpretative Analyse von Text ein tieferes Verständnis des Gegenstandsbereiches und gleichzeitig verallgemeinerbare Forschungsergebnisse ermöglicht.

Beltz Verlag · Weinheim und Basel · Weitere Infos und Ladenpreis: www.beltz.de